JN123659

も く じ

まえがき

　高等学校学習指導要領による「英語表現Ⅰ」「英語表現Ⅱ」では

　「英語を通じて、積極的にコミュニケーションを図ろうとする態度を育成するとともに、

　　事実や意見などを多様な観点から考察し、

　　論理の展開や表現の方法を工夫しながら伝える能力を養う、伸ばす。」

　という目標が掲げられ、

　「与えられた話題について、即興で話す。また、聞き手や目的に応じて簡潔に話す。」

　という指定がある。旧学習指導要領の旧「オーラルⅠ」にも似た記述があるが、「即興で」という表現は新しい。また、次期学習指導要領では、「論理・表現」という新規項目もあがっており、ディベート、ディスカッションといった言語活動も考えられている[1]。

　ディベートとは、ひとつの論題に対し、賛成側と否定側に分かれて意見を述べ、ジャッジを説得する「知的なゲーム」である。自分の意見とは関係なしに、賛成側・否定側に割りふられる。

　日本では、証拠資料を事前に収集してディベートを始める「準備型のディベート」の歴史が長い。これは証拠（エビデンス）を集める力や証拠を用いて証明する論理の準備力が身に付きやすい、「証明」を重視したディベートスタイルと言える。

　一方、海外では「即興型の英語ディベート」が教育の現場で広く用いられている。そのスタイルは「パーラメンタリーディベート」と呼ばれる。論理的に物事を伝えるだけでなく、証拠を読まずとも自らの知識を効果的にまとめあげ、一般聴衆を「説得」するためのディベートである。身振り手振りなどの表現方法や、感情に訴えかける生活感ある内容も説得につながる。日本では歴史が短いが、年々競技人口は増えている。

　次期学習指導要領案に示された内容を達成するためにも、効果的な授業の一手法として「即興型英語ディベート」を強く推薦したい。

　即興型の英語ディベートで身につく力には、次の5つが挙げられる。

　1．英語での発信力　　　　2．論理的思考力　　　　3．幅広い知識
　4．プレゼンテーション力　　5．コミュニケーション力

　即興型の英語ディベートは、資料を準備して全文を読むスタイルではない。即興でスピーチの準備をする必要がある。要点を書いたメモのもと、割り当てられた時間を使って自力で英語で話さなければならない。この環境こそが、英語力向上に非常に効果的であると実感している。

　またディベートでジャッジを説得させるためには、論理的な説明が必要である。自分の組み立てた論理が弱いと対戦相手に反論され、試合後に論理の弱さをジャッジに指摘される。実践を繰り返すことで、論理的な思考が自ずと促される。

[1] 文部科学省ウェブサイト、中央教育審議会教育課程企画特別部会（第19回）配付資料より

さらに、即興型の英語ディベートでは実践ごとに論題が異なるため、さまざまなテーマに触れることができる。そのため、幅広い知識の習得にもつながる。「説得」のためのディベートであるため、プレゼンテーション力も磨かれる。

　ディベートは個人戦ではなく「チーム戦」である。限られた時間の中でチームメイトと意思疎通をすることも、一貫性のある議論を行う上で重要である。コミュニケーションの訓練にもなる。また勝敗がつくゲームであるため、積極的にもなりやすい。

　このように即興型の英語ディベートには、さまざまな効用がある。「英語表現Ⅰ」「英語表現Ⅱ」また「論理・表現（案）」の授業などで、積極的に活用されれば幸甚である。

2017年8月

中川　智皓

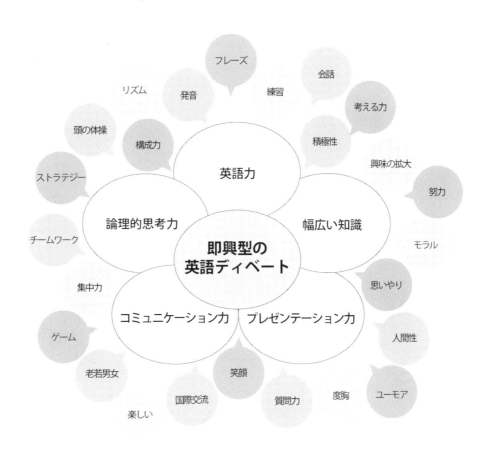

即興型の英語ディベートで身につく力

本書の特長と使い方

　本書は、即興型の英語ディベートを授業において行うためのテキストである。

　主に国内外のパーラメンタリーディベートのやり方をベースとし、授業において取り組みやすいようアレンジしている。初めに基本的なルールを紹介し、続いてディベートの進め方や、ジャッジの仕方を説明する。また、授業に即興型の英語ディベートを導入した場合の具体的な進行例も示す。その例を参考にすれば、ディベート指導が初めての教員もスムーズに導入できるだろう。

　次に授業での実践例として、モデルディベートを紹介する。チェアパーソン、ディベータ、ジャッジそれぞれのスピーチを全文書き下ろしている。

　続いてフレーズ集、各種シート、論題リストを示す。各種シートを用いることで、即興型の英語ディベートが初めての生徒も基本に沿って実践しやすくなる。

　最後に、論題10個分の単語シートを添付している。ディベート実践で使用していただければ幸いである。

1章　即興型英語ディベートのルール

(1)　ルールの概要

与えられた1つの論題に対して、ディベートする者（ディベータ）が

肯定側チーム＝Government　　**否定側チーム＝Opposition**

に分かれて、一般聴衆であるジャッジを説得する。

GovernmentかOppositionかは主催者が決定し、ディベータ自身は選べない。

両チームのうち、議論の中身や説明の仕方などに説得力があった方が勝ちとなる。

(2)　ディベータの人数と役割名

各チーム3名の計6名。

【Government（肯定側チーム）】

Prime Minister（PM）

定義を行い、肯定する理由1を述べる。

Member of the Government（MG）

否定する理由1に反論する。

肯定する理由1を再構築し、肯定する理由2を述べる。

Prime Minister Reply（PMR）

否定する理由2に反論し、Governmentが勝っている理由をまとめる。

【Opposition（否定側チーム）】

Leader of the Opposition（LO）

肯定する理由1に反論し、否定する理由1を述べる。

Member of the Opposition（MO）

肯定する理由1、2に反論する。

否定する理由1を再構築し、否定する理由2を述べる。

Leader of the Opposition Reply（LOR）

Oppositionが勝っている理由をまとめる。

(3)　**準備時間（Preparation Time）**

準備時間は15分。

⑷ スピーカーの順番、時間
　　スピーチの順番、時間は以下の図の通りである。

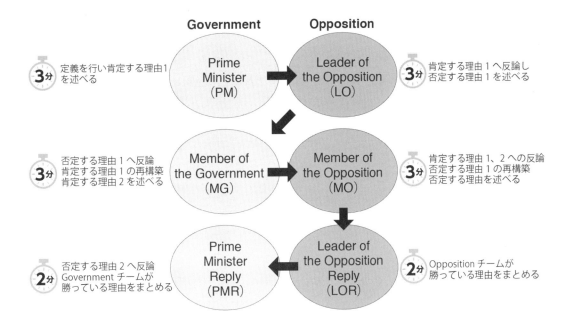

スピーチ時間はPM、MG、PMR、MOは３分、LOR、PMRは２分。
ただし前後30秒は許容範囲とする。
ジャッジまたはチェアパーソンは、スピーチの終了時間の30秒前に１回ノック、
スピーチ終了時間に２回ノック、終了時間30秒後にはノックをし続ける。
例えばスピーチの時間が３分なら２分30秒が経過したら１回ノック、３分になったら２
回ノック。そして３分30秒が経過してからはノックをし続ける。
スピーカーとスピーカーの間には、準備時間はない。
スピーカーはジャッジに呼ばれたら、速やかに演台に移動する。

⑸ スピーチ内容
　　最初の４つのスピーチを　**Constructive Speech**（立論）、
後の２つのスピーチを　**Reply Speech**（まとめ）という。
Constructive Speechではどのような論点を述べてもよいが、Reply Speechでは基本
的にConstructive Speechで述べていない新しい論点は出せない。

⑹ 質疑応答（POI、Point of Information）

　相手チームのスピーチ中に、質問やコメントを15秒以内で発言することができる。
それをPoint of Information（POI）といい、手を挙げながら

"On that point, sir" "POI（ピー・オー・アイ）"

などと声をかけて質問する。質問を受けるか否かはスピーカーが決めることができて、
受ける場合は **"Yes, please."** 受けない場合は **"No thank you."** と答える。
　POIはいつ行ってもよいが、POIで挙手をして一旦断られた場合は、その15秒後以降か
ら再度POIが行える。POIの間もストップウォッチの時間は止めない。

⑺ ディベート終了後

　ディベートラウンドの終了後、一緒に議論してくれたことへの感謝の気持ちをこめて、
対戦相手と握手を交わす。

授業のための補足　1

● 論題

◇　論題の始まり方

　パーラメンタリーディベートはイギリスの議会（Parliament）を模倣した形式のため、通常、論題はThis House Believes that（THBT）や、This House Would（THW）という決まり文句から始まる。ただし高校の授業導入を前提とした本書では、これらの決まり文句は用いていない。This House Believes thatと読むだけでスピーチが詰まってしまうケースが多々あるうえ、これらの言葉がなくてもディベートするのに全く問題はない。出来るかぎりシンプルなルールにすべきだと考え、省略することにした。

◇　「論題を肯定する」とは

　例えば、**We should ban tobacco.**（たばこを禁止する。）という論題があった場合、肯定側は「論題」を肯定するのが役割であるため、「たばこを禁止する」ことを肯定する。すなわち、「たばこは禁止したほうがよい」という考え方である。

　肯定であるから自動的に「たばこに賛成」と勘違いして、準備（プレパレーション）を始めてしまうケースがあるので注意されたい。

　そのような勘違いを防ぐ方法としては「論題発表後に日本語で注意を促す」「論題自体を初めから肯定表現にしておく」などがある。

● POI（Point of Information）

◇ POIを行う機会について

　本来のパーラメンタリーディベートのルールでは、POIはConstructive Speechの間にだけ可能。スピーチの前後1分はPOIができない。

　ただし本書では授業導入を踏まえた試行錯誤の結果、前述のルールに変更している。

◇ POIで質問を行う時

　POIでの質問は起立して片手を頭に置き、もう一方の腕をまっすぐ伸ばすポーズを取る。

　そのポーズは、昔のイギリス議会の議員をマネしたもの。彼らは長髪のカツラをかぶっていたため、起立して質問する時はカツラが落ちないように手で押さえていた名残と言われている。

　POIで質問を行うときは、スピーカーだけでなくジャッジにも伝わるよう意識して話す。

　質問が終わったら、すぐに座る。スピーカーの返答を待つためにずっと立っている必要はない。また、チームメイトにPOIを行うことはできない。

◇ POIに答える時

　POIに対する返答はPOIを行った人だけでなく、ジャッジにもその回答が伝わるように意識する。

　またPOIで答える際は、スピーカーが自分の力で答える必要がある。

　座っているチームメイトが代わりに発言することはできない。

◇ POIでの質問時間

　POIでの質問時間が15秒以上かかった場合、原則的に質問者は速やかに質問を終えねばならない。スピーカーもそれまでに理解した質問内容を組んで返答し、自分のスピーチに戻る。質問が長すぎてラウンドに支障をきたす場合、ジャッジは質問者にPOIを終わらせるように促す。

◇ POIでの質問内容

　POIでの質問内容は、何でもよい。

　初めのうちは相手チームが言っていることが分からない場合も多いため

"Please explain ○○ again."

などのように、相手チームの発言を理解するために質問するのがよい。また質問された側も、相手チームと議論を共有する必要があるため真摯に説明すべきである。

◇ POIの練習

　ディベートをやり始めた時は自分のスピーチの準備に精一杯で、POIを行う余裕がないことが多々ある。

　POIを行うには相手の話をしっかり聞くことや、話に割り込む勇気が必要である。

　その練習に効果的なのが、「5～6人のグループに分かれて、1人が前に立って話を続け、残りのメンバー全員がそれぞれ好きなタイミングでPOIを行う」ことである。

　スピーカーはPOIを受けても、受けなくてもよい。メンバー全員がPOIを行った時点で、スピーカーを変更する。

● その他

　授業時間や人数、クラスのレベルなどに応じて、適宜ルールを工夫していただければ幸いである。

2章　スピーカーの役割

スピーカー6名のディベートでの役割を、ディベートの流れと共に紹介する。

1人目　　Prime Minister（PM）　　Government
定義を行い、肯定する理由1を述べる。

① 挨拶をする。
② 論題を述べる。
③ 論題にあいまいな言葉があれば定義する。
④ Governmentの肯定する理由の、2つの題名（サインポスト）をそれぞれ紹介する。
⑤ 肯定する理由1を詳しく説明する。
⑥ 結論を述べる。

2人目　　Leader of the Opposition（LO）　　Opposition
肯定する理由1に反論し、否定する理由1を述べる。

① 挨拶をする。
② Oppositionの方針（すなわち論題に対してその否定文）を述べる。
③ 肯定する理由1に反論する。
④ Opposition の否定する理由の、2つの題名（サインポスト）をそれぞれ紹介する。
⑤ 否定する理由1を詳しく説明する。
⑥ 結論を述べる。

3人目　　Member of the Government（MG）　　Government

　　　　　否定する理由1へ反論し、肯定する理由1を再構築し、
　　　　　肯定する新たな理由（肯定する理由2）を1つ述べる。

① 挨拶をする。
② Governmentの方針（すなわち論題）を述べる。
③ 否定する理由1に反論する。
④ 肯定する理由1を再構築（立て直し、反論されたことへの反論）する。
⑤ 肯定する理由2を詳しく説明する。
⑥ 結論を述べる。

4人目　　Member of the Opposition（MO）　　Opposition

　　　　　肯定する理由1、2に反論し、否定する理由1を再構築して
　　　　　否定する新たな理由（否定する理由2）を1つ述べる。

① 挨拶をする。
② Oppositionの方針（すなわち論題に対してその否定文）を述べる。
③ 肯定する理由1に反論する。
④ 肯定する理由2に反論する。
⑤ 否定する理由1を再構築（立て直し、反論されたことへの反論）する。
⑥ 否定する理由2を詳しく説明する。
⑦ 結論を述べる。

5人目　　Leader of the Opposition Reply（LOR）　　Opposition
　　　　　　　　否定する側が勝っている理由をまとめる。

① 挨拶をする。
② Oppositionの方針（すなわち論題に対してその否定文）を述べる。
③ Government、Oppositionの議論のうち、最も重要なこと（争点）を取り上げる。
④ 争点に対し、Oppositionの分析が勝ることを示す。
⑤ 結論を述べる。

6人目　　Prime Minister Reply（PMR）　　Government
　　　　　　　　否定する理由2に反論し、肯定側が勝っている理由をまとめる。

① 挨拶をする。
② Governmentの方針（すなわち論題）を述べる。
③ 否定する理由2に反論する。
④ Government、Oppositionの議論のうち、最も重要なこと（争点）を取り上げる。
⑤ 争点に対し、Governmentの分析が勝ることを示す。
⑥ 結論を述べる。

※8章で紹介するスピーチシートを使用すれば、以上の役割内容を達成できるようになる。

授業のための補足　2

● 定義

◇ 定義とは
　「定義」とは何かが分からずに混乱するケースがあるため、簡単に説明する。
　「定義」とは論題にあいまいな言葉があったときに、その言葉は何を指すのかが分かるように論題の意味を明確にすることである。
　例えば「たばこを禁止する」という論題では、「たばこの生産自体を全面的に禁止する」ことなのか、「公共の場全てでたばこを吸うことを禁止する」ことなのか、人によって解釈が異なることがある。そのような場合に定義をして、議論を噛み合わせる土台を作ることで最低限の共通理解が得られるようにする。

◇ 定義は誰が行うか
　論題に対する定義はPrime Ministerが行う。定義があまりにも不公平であったり、おかしかったりしなければ、提示された定義のもと議論を進める。

◇ 論題設定
　例えば **We should have more freedom.** のようなたくさんの定義が考えられるような論題の設定は、定義を予想する必要があるOppositionにとって負担が大きい。
　できるだけ定義がなくてもディベートができる論題設定が望ましい。
　また定義を考える余裕がない初期段階では、定義する必要のない明確な論題設定や、Prime Ministerが定義の部分を飛ばしたスピーチを準備する形式が好ましい。

● 立論

◇ 論点（ポイント）の数
　短いスピーチ時間や議論の整理のしやすさを考慮して、各チームが出す論点（ポイント）は２つとしている。肯定する理由２つ、否定する理由２つの計４つについて議論し、１人がひとつの論点を詳しく説明するという役割分担となっている。
　論点の数を増やすことはできるが、スピーチ時間が限られているため、これ以上論点を増やすとひとつひとつの説明がおろそかになる可能性が高い。

◇ サインポスト（Signpost）
　サインポスト（Signpost）とは、論点の題名や見出しのことである。
　論点が端的に伝わるような、短い一文または単語でまとめる。

◇ 論点の説明
　立論では、現状分析や政策後の影響、GovernmentとOppositionの価値観の違いなどを述べる。説得力を増すよう事例なども交えるとさらによい。
　15分の準備時間にスピーチを作成する際は、

主張（Assertion）→理由（Reason）→事例（Example）→主張（Assertion）

を意識できるようになるとよい。これは「三角ロジック（AREA）」と呼ばれる。

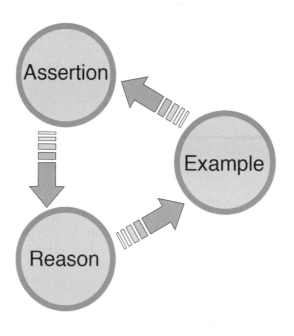

● 反論

◇ 反論する点

反論では、相手チームからの論点（ポイント）を否定する。また、自分のチームメイトが出した論点が相手チームから否定された場合、それに対して再度反論する。

◇ 反論の仕方

基本的な反論の手順は、以下の通りである。

① **They said...**　相手チームの議論のどこに反論するのかを述べる。

② **However...**　相手チームの議論が成り立たないことを述べる。

③ **Because...**　②について、その理由を述べる。

④ **Therefore,...**　結論として相手チームの議論が成り立たないことを述べる。

以上の反論の流れや例は、スピーチシートまたモデルディベートの章を参照されたい。

◇ 反論での注意

個人の性格、外見などの攻撃はしてはならない。

パーラメンタリーディベートは「紳士淑女の知的なゲーム」である。

ディベートの論点とは関係のないところで、他者を非難してはならない。

3章　ジャッジの仕方

ジャッジの役割は、試合の勝敗を決めることである。

また、勝敗の理由をディベータに説明する。

ジャッジはそれぞれのディベータに対して建設的なアドバイスをするのが望ましい。

ジャッジは**Average Reasonable Person**（平均的な理性ある個人）、つまり「新聞を読んでいれば分かる一般的な知識を持つ人」と想定する。

個人的な考えや専門知識、偏見をできるだけ排除し、客観的に判定しなければならない。ジャッジの判定基準は主に「内容」と「表現」の2つである。

(1)　ジャッジの判定基準

● 内容（Matter　何を話したか）

　　　・主張に理由があったか。

　　　・反論があったか。

　　　・例やデータを使って十分に説明しているか。

　　　・POIで積極的に議論しているか。

● 表現（Manner　どのように話したか）

　　　・はっきりと分かりやすい言葉で話しているか。

　　　　　　　　　（声の大きさ、スピード、アイコンタクト、身振り手振りなど）

　　　・分かりやすい構成か。（論点の順番、ナンバリング、サインポスト）

　　　・スピーカーの役割を果たしているか。

(2)　ジャッジの進行

① どちらが勝ったかの判定

　　　ディベート終了後に1～2分の検討時間を取って、どちらのチームが勝ったのかを判定する。これはジャッジ一人ひとりの判定でよい。

② 勝敗

　　　Government, Oppositionいずれのチームが勝ったかを述べる。

③ 勝敗の理由

　　　勝敗の理由を述べる。

④ 個人へのコメント（時間があれば）

　　　ディベータそれぞれへのコメントを述べる。

　　　目安としては良かった点を1つ、改善点を1つ述べればよい。

授業のための補足 3

● 勝敗

ジャッジの役割は試合の勝敗を出すことであり、引き分けという判定はできない。

甲乙つけがたい試合であっても両チームの差を見出し、勝敗を出す必要がある。

ここでは、ジャッジそれぞれが個人で勝敗を出すこととする。

ジャッジが複数いる場合でも、勝敗はそれぞれで考える。

肯定側と否定側、どちらの勝利が正しいかについての正解はない。

ジャッジ自身が感じたことを、勝敗の理由と共に自信を持って説明すればよい。

● ジャッジの説明

ディベートの試合後、ジャッジは勝利チームの発表や勝敗の理由の説明、各ディベータへのコメントを行うが、これらは日本語でよい。

I vote for Government. などの勝利チームの発表などは英語で行うのは簡単であるが、勝敗の理由を英語で説明することは容易ではない場合が多い。

細かい論理などは日本語で説明したほうが深く理解でき、教育的効果も大きい。

通常クラスでは、コメントは日本語で行った方が有意義である。

4章　授業の進行例

即興型英語ディベートを取り入れた授業の、具体的な進行例を以下に示す。
ディベートラウンドを行う上での注意点も付記する。

≪　想定　≫
・授業時間は50分
・クラスの生徒の人数は40名

⑴　授業カリキュラム

● 例1　月1回程度のディベート実践（教科書のレッスン終了ごと等に実践）

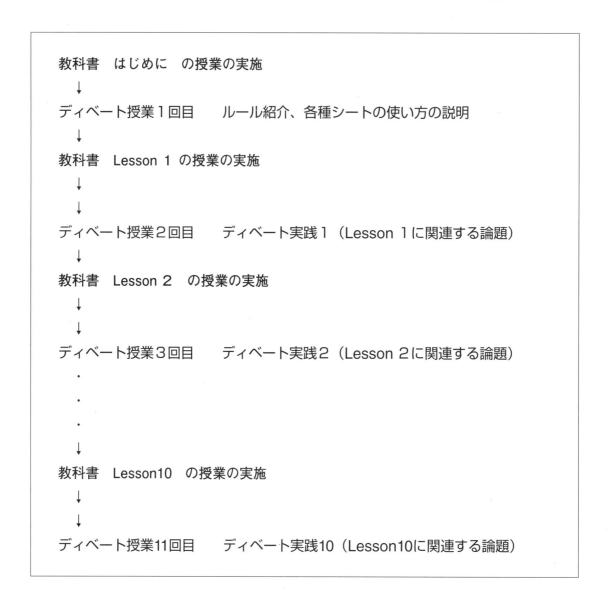

教科書　はじめに　の授業の実施
　↓
ディベート授業1回目　　ルール紹介、各種シートの使い方の説明
　↓
教科書　Lesson 1　の授業の実施
　↓
　↓
ディベート授業2回目　　ディベート実践1（Lesson 1に関連する論題）
　↓
教科書　Lesson 2　の授業の実施
　↓
　↓
ディベート授業3回目　　ディベート実践2（Lesson 2に関連する論題）
　・
　・
　・
　・
　↓
教科書　Lesson10　の授業の実施
　↓
　↓
ディベート授業11回目　　ディベート実践10（Lesson10に関連する論題）

● 例2　毎週または隔週でのディベート実践

第1回目　ディベートのルール紹介、各種シートの使い方の説明
　↓
第2回目　ディベート実践（1）
　・
　・
　・
　↓
第N回目　　　ディベート実践（N）
　↓
第N＋1回目　ディベート大会・予選（N＋1）
　↓
第N＋2回目　ディベート大会・決勝（N＋2）

(2) ディベート実践授業のスケジュール

進　行	内　容	所要時間
0 〜 5分	①論題発表（対戦チーム発表等の時間を含む）	5分
5 〜 20分	②準備時間	15分
20 〜 40分	③ディベートラウンド	20分
40 〜 45分	④ジャッジコメント	5分
45 〜 50分	⑤まとめ	5分

① 論題発表　　0〜5分・5分間

　論題は、教員側であらかじめ準備しておく。論題発表の前に、チーム分けをしておく。

　どのチームがどのチームと対戦するかも決めておき、どちらがGovernmentでどちらがOppositionなのかも教員側で決めておく。チーム分けの方法は後述する。

　また慣れないうちは論題が発表される前にチーム内での役割分担（誰が何番目に話すか）を決めておき、担当のスピーチシートを準備しておく。授業時間が始まる前に座席をセットしてチーム分けができていれば、ここで時間をかけずに済む。

② 準備時間　　5〜20分・15分間

　準備中はチーム内で自由に話してよいが、できるだけ対戦チームには話している内容が聞こえないようにするのが望ましい。あらかじめ机の配置がなされている際、対面には対戦チームではなく、別のチームが着席するなど工夫するとよい。

　準備には、ブレストシートやスピーチシートを用いる。

　準備時間の使い方については、ブレストシートにて詳細を説明する。

　また必要に応じて、辞書を引く時間を節約するために単語シートを配布する。

③ ディベートラウンド　20 ～ 40分・20分間

　ディベートラウンドとは、ディベートの実践試合のことである。

　ディベートラウンド時間の内訳は「3分×4人 + 2分×2人 + α」。

　+αの時間は司会者の発言時間や、スピーチの交代時間、スピーチの延長時間である。

　ディベートラウンド中のスピーチ時間は、定められた時間（3分または2分）の30秒超えまでは認められるが、30秒を過ぎれば終了する。

　授業時間が限られているため、スピーチにおけるタイムマネージメントも重要である。

④ ジャッジコメント　40 ～ 45分・5分

　ジャッジコメントの時間の内訳は「判定時間」が1 ～ 2分程度、「コメント時間」が3 ～ 4分程度。

　判定時間とは、ジャッジが勝敗とその理由を考える時間のこと。コメント時間とは、ジャッジが勝敗とその理由、また余裕があれば個人へのコメントを伝える時間のことである。

⑤ まとめ　45 ～ 50分・5分

　まとめの時間は教員の論題の解説や、各テーブルで出た主要意見の全体への発表などに使用できる。また、リフレクションシートやジャッジシートの記入時間にあてる。

⑶ チーム分け　40人の場合

● 例1　シンプルなグループ分け方法　（ジャッジを2人とする）
　・8人一組のグループを、5グループ作る。
　　各グループごとのテーブル（島）は5つできる。
　・各グループごと、Governmentが3人、Oppositionが3人。
　　残りの2人をジャッジ兼チェアパーソン（司会者）とする。
　・欠席者が出た場合は、ジャッジを1人にするか、Governmentを2人に減らす。

● 例2　ジャッジを1人として、生徒がディベータになる回数を多く確保する方法
　・6人一組のグループ5つ、5人一組のグループ2つの計7グループ作る。
　・ディベート実践では、毎回1つのグループがジャッジを担当する。
　　例えばA〜Gの7グループに分けて、A〜Eがそれぞれ6人、FとGが5人の場合、
　　Aグループがジャッジを担当するのは以下のようになる。

　　　　B：3人対3人　ジャッジ1人（Aグループから）
　　　　C：3人対3人　ジャッジ1人（Aグループから）
　　　　D：3人対3人　ジャッジ1人（Aグループから）
　　　　E：3人対3人　ジャッジ1人（Aグループから）
　　　　F：2人対3人　ジャッジ1人（Aグループから）
　　　　G：2人対3人　ジャッジ1人（Aグループから）

　・テーブル（島）は6つできる。
　・欠席者が出たら、3人チームを2人チームに減らす。
　　ジャッジに欠席者が出たら、他グループからジャッジを募る。
　・5人のチームがジャッジをする時は、ジャッジが1人足らなくなる。
　　その場合は教員がジャッジをするか、または他グループからジャッジを募る。

　　　　A：3人対3人　ジャッジ1人（Gグループから）
　　　　B：3人対3人　ジャッジ1人（Gグループから）
　　　　C：3人対3人　ジャッジ1人（Gグループから）
　　　　D：3人対3人　ジャッジ1人（Gグループから）
　　　　E：3人対3人　ジャッジ1人（Gグループから）
　　　　F：2人対3人　ジャッジ1人（教員または他グループから）

● 例3　MG・MOを2名ずつにして行う方法

・10人一組のグループを、4グループ作る。
　各グループごとのテーブル（島）は4つできる。
・各グループごと、Governmentが4人、Oppositionは4人。
　MGとMOの役割のボリュームが多いため、それぞれを2人ずつにして役割を分割し
　て行う。スピーチの際は、2人同時に前に並んで、前半と後半に分けてスピーチする。
　残りの2人をジャッジ兼チェアパーソン（司会者）とする。
・欠席者が出た場合は、ジャッジを1人にするか、Governmentを3人に減らす。
・スピーチの順番は以下の通りとする。

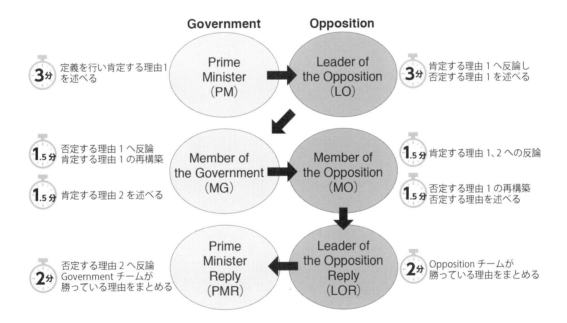

⑷ **教室のレイアウト**

　ディベート実践のための机は、以下の図のように配置する。

　ジャッジの左側にGovernment、右側にOppositionが座る。そしてジャッジの正面でディベータがスピーチする。

　MGとMOを2名ずつにした場合は、ディベータとジャッジの距離が遠くなって声が聞き取りにくくなるため、机は8卓での実施が望ましい。

　また、普通教室であると隣の島のディベートの声まで聞こえてしまうため、できるだけ広い教室で行うことが好ましい。

　普通教室で行うなら、教室の端まで使って島の間隔を広く取るなどの工夫が望まれる。

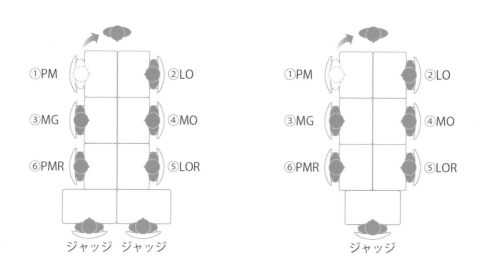

ジャッジが2人の場合　　　　　　　　　ジャッジが1人の場合

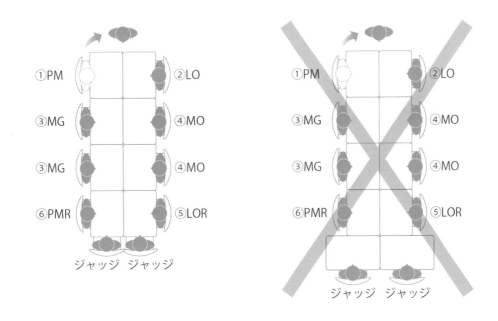

MGとMOを2名ずつにした場合

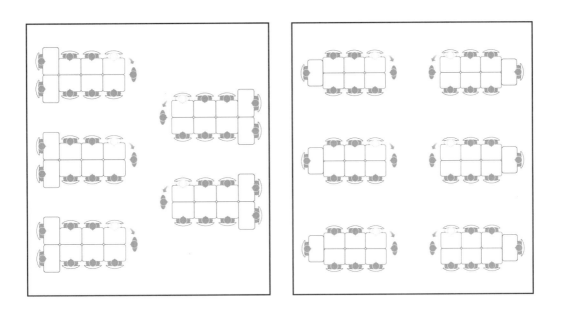

教室のレイアウト例

　なお大会の決勝など、選出された2チームの試合を残りの生徒がジャッジする、または見学する場合などは、以下の図のように教室の前方に机を配置する。

　そうすれば各ディベータの顔が見え、POIの時にも発言が聞きやすくなる。

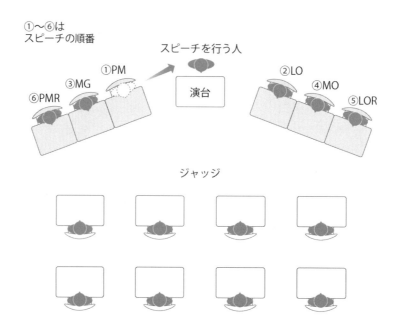

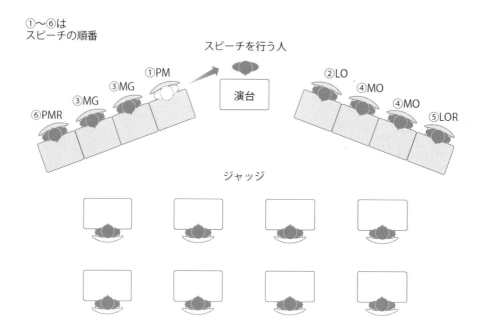

授業のための補足　4

● チームの分け方

チーム分けは前述の通り、1チームを2～4人とすると人数調整が容易である。

2人チームとなった場合は、初めに話した人（PMまたはLO）がまとめのスピーチ（PMR、LOR）も行う。

チームを分けるだけでかなりの時間がかかることもあるため、チーム分けはできるだけ、授業が始まる前に行っておくことが望ましい。

また、チームの分け方によっては毎回負けてしまうチームが出る可能性もある。

モチベーションの観点から、ある程度の調整が必要である。

できるだけテーブル内でのレベルをそろえた方が参加者の満足度は高い。

● チーム内での役割

チーム内で誰がどの役割をするか、すなわち誰が何番目に話すのかは、できるだけ準備時間が始める前に決めておくべきである。

準備時間が始まってから役割を決めると、それだけでかなりの時間を費やしてしまうことがある。

また役割によってスピーチする内容が違うため、それぞれの役割に対する心構えを事前にしておくことも大事である。

● 実践回数

「英語での発信力」を身につけてもらうため、生徒がディベータになる回数をできるだけ多く確保したほうがよい。

● 英語でのスピーチ

どうしても英語が浮かばず、スピーチが止まってしまうことがある。

できるだけ簡単な言葉で言い換えるなどの努力はすべきであるが、どうしても英語が出てこないときは日本語の単語（in Japanese）でスピーチを続けるのもひとつの方法である。

例えば、「税金を払わねばならない」と言いたい時に、「税金」という単語が英語でどうしても出てこなかった場合は

We must pay the ZEIKIN（税金）in Japanese.

と言って続ける。ひとつの英単語が出ずに数分間黙ってしまうよりは、伝えるべきことを発信した方が他者にとっても議論を深める上で有用である。また多くの場合はZEIKIN（税金）とディベータが言えば、周りが "tax!" と手助けすることが多い。

ただし難しい単語については、単語シートに含めるなどの工夫が必要である。一文まるごと日本語で言ってしまうことは、英語での発信力を身に付けるという観点からは望ましくない。

上記のようなスピーチ中のルールは、授業のレベルに応じて工夫されたい。

● スピーチ姿勢

スピーチを行う時は起立する。

またマスクをしている者は、スピーチを行う時だけ取るのが望ましい。

隣のテーブルの声や拍手で声が聞き取りにくいケースも考えられるが、最低限テーブル内に聞こえるくらいの声を出すことは重要である。

● 雰囲気作り

即興型英語ディベートでは各スピーチを迎える前とスピーチ終了後、参加者で拍手をするのが慣例である。ディベート中は対戦相手であるが、議論を温かく迎える姿勢は持つべきである。

またディベート終了後、ディベータは相手チームに対して、対戦してもらえた感謝の気持ちをこめて握手をすることも周知されたい。

5章　モデルディベート

ディベートの例を以下に示す。論題は、

We should allow the usage of cell-phones at schools.

（学校での携帯電話の使用を許すべきだ。）

である。チェアパーソン（司会者）はジャッジが兼ねてもよい。

● ディベートの例

Chairperson

　　Hello everyone. Today's topic is "We should allow the usage of cell-phones at schools". Now, I welcome the Prime Minister Speech within 3 minutes.（拍手）

Prime Minister

　　Thank you Mr. Chairperson and good afternoon everyone. Today's topic is "We should allow the usage of cell-phones at schools". Firstly, let me define the topic. We define that all high schools in Japan should allow the usage of cell-phones. The school should allow the usage of cell-phones even during classes. We on the Government team have two points. The first point is, "Effective learning". The second point is "Effective communication". I will talk about the first point.

My partner will talk about the second point.

Now, let me explain the first point, "Effective learning". A cell-phone has several uses. We can use it for making phone calls, sending e-mails and searching information through the Internet. A cell-phone is very compact. We can put it in our bags or pockets and easily carry it everywhere. Its weight is only about 100g to 150g. On the other hand, when it comes to a personal computer, it is bigger than a cell-phone. Usually the weight of a personal computer is more than 1kg. We can't put it in our pocket. Therefore, a cell-phone is more convenient than a personal computer when we need to carry it. Having said this, we believe that the cell-phone is a convenient tool to use at school. A cell-phone is a very effective tool when students study at high school.

"On that point!"

Yes, please.

"Why can you say that a cell-phone is effective?"

Thank you. I'll explain that in a moment. In high school, there are many things to learn. For example, in chemistry classes, we learn chemical formulas and chemical reactions. In addition, we do chemical experiments. However, time for carrying out the experiments is limited and we can't observe the chemical reactions carefully. In such a case, if we use a cell-phone, we can see the picture of the chemical reaction through the Internet in a second. This will promote student's understanding. This will also stimulate the student's mind. A cell-phone can easily supply the information needed in the classroom. As a result, high school students will have more motivation and interest in studying. Therefore, we can say that a cell-phone is an effective tool for learning. So, all Japanese high schools should allow the use of cell-phones during class. Thank you for listening.（拍手）

Chairperson

Thank you. Now I welcome the Leader of the Opposition Speech within 3 minutes.（拍手）

Leader of the Opposition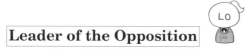

Thank you Mr.Chair and hello everyone. Today, we are discussing the usage of cell-phones at high schools. We, on the Opposition team, strongly believe that the usage of cell-phones is very harmful to high school students. We have two points. The first point is, "Disturbing concentration". The second point is, "Cost of having a cell-phone".

Before moving onto our points, let me refute the Government's point. They said, "Effective learning". Their idea is that high school students can learn additional information through the Internet using cell-phones. However, this is not very important. If students really want to study in more detail, they can ask the teachers or they can use the Internet at home. Moreover, when they use cell-phones during class, there is a possibility that they will use it for cheating in examinations. Actually, in a university entrance exam, a student cheated using his cell-phone. He tried to get answers using "Chiebukuro" which is a service that shares knowledge among users. Therefore, using cell-phones during class is harmful.

"On the point!"

Yes, please.

"That is just one case. Usually, it is difficult to cheat in an exam."

Thank you. However, we believe that bringing a cell-phone to school just increases the possibility of cheating.

Next, let me move onto our first point. That is, "Disturbing concentration".

"On that point!"

No thank you.

We believe that using cell-phones during class will just disturb student's concentration. For example, some students will send emails to their friends and concentrate only on their cell-phones. They will not listen to what the teacher is saying during lectures. They will lose their concentration. As a result, they will not be able to follow the lectures and will lose their motivation to study. Then, they will start using their cell-phones to kill time during class. This, we believe, is the greatest harm for the cell-phone users. There is also harm to the students who don't use their cell-phones in class. For example, a cell-phone may suddenly rings and interrupts the class. Students in the class can't concentrate on their studies. Like this, the usage of cell-phones during class harms not only the users of cell-phone but also the rest of the class. Therefore, we on the Opposition strongly believe that the usage of cell-phones does more harm than good to high school students. Thank you very much. （拍手）

Chairperson

Thank you. Now I welcome the Member of the Government Speech within 3 minutes.（拍手）

Member of the Government

Thank you. So far we have been talking about the cell-phone usage in high schools. First of all, let me rebut what the Opposition side said. In their point about "Disturbing concentration", they said that some students will send emails and won't concentrate on their studies. However, it is totally their freedom of choice. High school education is not compulsory in Japan. If students want to send emails during class, it is their own choice. They also said that cell-phones ringing will interrupt other students in class. However, it is not a big problem. If we use the manner mode, ringing problem of cell-phones will be solved.

Next, let me reconstruct our first point, "Effective learning". On this point, they said that we can ask the teachers or search the Internet after school. However, it is irrelevant. The most important thing is for students to learn when a question arises by immediately searching for the answers to the questions. This is important to keep the students motivated to study. Furthermore, they mentioned the example of cheating. However, we can solve cheating if teachers strictly prohibit and check the usage of cell-phones during exams.

Then, let me move onto our second point. That is "Effective communication". High school students are in the period of adolescence. They are shy. Sometimes they can't speak to students of the opposite sex. They want to become friendly with their classmates but they can't. In that case, a cell-phone is very effective. Shy students can send emails and make friends. They can even confess their feeling of love to their favorite person using emails.

"On that point!"

Yes, please.

"If shy students depend on using cell-phones, they will only use their cell-phones to communicate in the future. Is that OK?"

"Thank you. We don't think that they will use only their cell-phones in the future. We believe that if they start communicating by cell-phones, then shy students will gradually try to communicate with others face to face. A cell-phone is the first step. If high schools prohibit the usage of cell-phones, these communications will be more difficult to achieve. Therefore, we believe that the usage of cell-phones does good than harm in terms of effective communication. Thank you. （拍手）

Chairperson

Thank you. Now I welcome the Member of the Opposition Speech within 3 minutes. （拍手）

Member of the Opposition

Thank you. Today's topic is about the cell-phone usage in high schools. We on the Opposition believe that a cell-phone does more harm than good to high school students. First, let me rebut the Government's points. As for their first point "Effective learning", they said that in order to keep the student's motivation, a cell-phone is necessary. However, it is not true. If a student really has a question, the student's motivation will continue even without a cell-phone. As for their second point "Effective communication", they said that cell-phones are useful for shy students. However, first of all, how will the shy students get their favorite person's email address? A shy student can't speak to and can't get the email address. Therefore, their explanation is not enough.

Then, let me move onto our points. I'd like to reconstruct our first point "Disturbing concentration". On this point, the Government side said that using a cell-phone is the individual's freedom of choice. However, it is not true. Because high school is a place for study, not play. Therefore, high schools have the responsibility to provide the environment for study. They also said that setting the cell-phone on the manner mode will not distract others. However, the manner mode vibration also makes a noisy sound. Therefore, allowing usage of cell-phones at school is wrong.

Next, let me move onto our second point "Cost of having a cell-phone". The cost of having a cell-phone is not cheap. When we have a cell-phone, we have to pay the basic fee plus the phone bill.

"On the point."

Yes, please.

"Cost is not a problem because our parents will pay for it."

Thank you. We say that it is a serious problem. Many high school students use their cell-phones without responsibility because the bill is usually paid by their parents. They use cell-phones even when it is not necessary. It is a waste of money.

"On the point!"

No thank you. There are many parents who suffer from the expensive bills. The biggest reason why a high school student wants to have a cell-phone is because other classmates have cell-phones. They use it in school. This is the important point. If high schools prohibit the usage of cell-phones at school, students are less likely to want cell-phones. Therefore, high schools should prohibit the usage of cell-phones. Thank you. (拍手)

Chairperson

Thank you. Now I welcome the Leader of the Opposition Reply Speech within 2 minutes. (拍手)

Leader of the Opposition Reply

Thank you Mr. Chairperson and hello everyone. So far we've been talking about whether or not we should allow the usage of cell-phones at high schools. We on the Opposition side strongly believe that the usage of cell-phones at high school is harmful. To sum up this debate, I will ask you two questions. The first question is, "Which is educational? Using cell-phones at school or not using them." The second question is, "Which is better for communication?"

As for the first question, we believe that prohibiting the usage of cell-phones at school is better. Government side said that using cell-phones in class is effective. However, we cannot see the clear necessity of cell-phones to motivate students to study. Allowing the usage of cell-phones in class just disturbs students. It is harmful both for the user of cell-phone and the rest of the classmates.

As for second question, we believe that not using cell-phones at school is better in terms of communication. They said that cell-phone is the first step to communicate, but as my partner said, shy students can't ask for the email address of a favorite person in the first place. Even if shy students get the email address, they are going to depend on email communication because it is easier than face to face communication. It is harmful for their future. Moreover, the cost problem exists. For all these reasons, the Opposition side wins this round. Thank you very much. （拍手）

Chairperson

Thank you. Now I welcome the Prime Minister Reply Speech within 2 minutes. （拍手）

Prime Minister Reply

Thank you Mr.Chairperson. Good afternoon ladies and gentlemen. We on the Government strongly believe that we should allow the usage of cell-phones in high schools. First, let me rebut the second point of the Opposition "Cost of having a cell-phone". They said the cost is the problem. However, there are discount services for high school students. Therefore, it is not a problem.

Then let me summarize today's debate. There are two clash points. One is about "study" and the other is about "communication". Let me explain one by one.

As for "study", we believe a cell-phone is very effective to learn many things. We can see vivid pictures, listen to sounds and search detailed information through the Internet quickly. Thanks to the cell-phone, students will have a better understanding of their studies and will study harder. The problem of disturbing the concentration of students is not very important.

As for "communication", shy students definitely need a cell-phone. The Opposition side worried about the difficulty of face to face communication. However, it is not such a big issue. Shy students will gradually try to communicate with others face to face. Therefore, we believe that high schools should allow the usage of cell-phones. Thank you for listening. （拍手）

Chairperson

Thank you. Now I close this round. Thank you for your cooperation. （拍手）
Please shake your hands together. （対戦チーム同士握手）

※ジャッジによる判定時間　1～2分

37

Judge

1．挨拶

お疲れ様でした。今回のディベートはとても面白かったです。

2．勝敗

まず勝敗ですが、私はOppositionの勝ちとしました。

3．勝敗の理由

その理由は、反論がOppositionのほうがGovernmentよりも強かったからです。Oppositionは、自分たちの意見 "Disturbing concentration" について、Governmentから "Freedom of choice" という反論を受けましたが、「学校は勉強するための良い環境を与える責任がある」という再構築をし、生徒の選択の自由という意見は成り立たないとうまく言えていたと思います。

しかしながら、Governmentからはさらなる反応はありませんでした。

また、Oppositionは携帯電話に対するコストの問題もよく分析できていました。

一方、Governmentは自分たちの2つ目のポイント "Effective communication" について、shy studentがどうやって異性のメールアドレスを入手するのかというOppositionからの指摘に対して、説明する必要があったと思います。

4．個人コメント

それでは、個人コメントに移ります。

 **（PMへ）** ○○くんは、携帯電話の性質をよく分析できていたと思います。
特に、コンピュータとの比較がよかったです。
アイコンタクトがもっとあるとさらによくなると思います。

 **（LOへ）** △△さんは、例を使った説明がとてもよかったです。
ただ、タイムマネージメントに気を付ける必要があると思います。

 **（MGへ）** ××さんは、プレゼンテーションが素晴らしかったです。
効果的な学習に関するモチベーションについて、もう少し説明があると、さらによかったです。また、shy studentがどのようにface to face communicationができるようになるか説明もあるとよいと思います。

 **（MOへ）** ○△くんは、"Disturbing concentration"に対する再構築がよかったです。
また、なぜ高校生が携帯電話を持とうとするかの分析もよかったです。
携帯電話と生徒のモチベーションの関係についてもっと反論すると、より効果的だったと思います。

 **（LORへ）** ○×くんは、2つの質問にまとめたのがよかったです。
シャイな生徒が将来face to face communicationできなければどう問題なのか、という説明を付け加えると良かったと思います。

 **（PMRへ）** ×△さんのタイムマネージメントは完璧でした。
しかし、なぜdisturbing concentrationはあまり重要でないのか理由を説明すべきでした。また、Oppositionチームの「生徒は他の人が携帯を持っているから自分も持とうとする」という分析に触れると良かったと思います。

以上です。ありがとうございました。

●ディベートの要約

①PM
- ○ 定義「日本のすべての高校で、授業中も携帯電話の使用を許すべきだ。」
- ○ 肯定ポイント1「効果的な学習」の説明
  - ・携帯電話は複数の使用法がある。（例）電話をかける。メールを送る。
    インターネットで検索する。
  - ・携帯電話は小さくて軽い。（例）携帯電話：100〜150g。PC：1kg以上。
  - ・学習に効果的である。（例）化学の授業で化学反応をじっくり観察できないとき、
    その場でインターネットを通して他の動画などを見られる。
    このように、携帯電話があれば生徒の理解を深められる。
    そして、学習へのモチベーションや興味が増す。

②LO
- ○ 肯定ポイント1「効果的な学習」への反論
  - ・本当にもっと勉強したければ先生に聞いたり、家に帰ってインターネットを使えば
    よい。
  - ・さらに試験でのカンニングの問題がある。（例）大学入試で携帯電話を持ち込み、
    知恵袋というサイトを使ったカンニング事例がある。
- ○ 否定ポイント1「集中を乱す」の説明
  - ・携帯電話を使用することは集中力を乱すことにつながる。
    （例）授業中にメールを送る。→先生の話を聞かない。→授業についていけない。
    　　　→勉強に対するモチベーションが下がる。
  - ・他の生徒にも迷惑である。（例）突然、携帯電話が鳴る。

③MG

○ 否定ポイント1 「集中を乱す」への反論

　　・授業中にメールするのは、選択の自由である。高校は義務教育でない。

　　・携帯電話の音が他人へ迷惑なら、マナーモードにすればよい。

○ 肯定ポイント1 「効果的な学習」の立て直し

　　・先生に聞いたり、家に帰ってインターネットを使えばよいというが、疑問に思った
　　　時にすぐに調べることがモチベーション維持に重要である。

○ 肯定ポイント2 「効果的なコミュニケーション」の説明

　　・高校生はシャイである。クラスメートと友達になりたくても話かけられない。
　　　そんなとき携帯電話は効果的である。
　　　メールを送ることから、友達になることができる。

　　・シャイな生徒も少しずつ他人と面と向かって交流しようとするようになる。

④MO

○ 肯定ポイント1 「効果的な学習」への反論

　・携帯電話は学習のモチベーション維持に必要というが、本当に疑問・質問があれば携帯電話がなくても学習へのモチベーションは続く。

○ 肯定ポイント2 「効果的なコミュニケーション」への反論

　・シャイな生徒に携帯電話は有用だというが、そもそもシャイな生徒がどうやって好きな人のメールアドレスを手に入れるのか？シャイな生徒は、まず話しかけることができないため、メールアドレスも入手できない。

○ 否定ポイント1 「集中を乱す」の立て直し

　・授業中にメールするのは自由であるというが、高校は遊ぶ場所ではなく、勉強するところである。高校は、勉強する環境を整える責任がある。

　・また、携帯電話の音が迷惑という点についてマナーモードにすればよいというが、マナーモードも振動の音がするので迷惑である。

○ 否定ポイント2 「携帯電話の費用」の説明

　・携帯電話を持つ費用は安くない。支払いに苦しむ親もいる。

　・クラスメートが携帯電話を持っているから、自分も携帯電話を持ちたいと思う。

　・学校での携帯電話使用を禁止すれば、携帯電話を持ちたいと思うことは少なくなる。

⑤LOR

○ **争点１「どちらが教育的か」**

肯定側は、授業中に携帯電話を使用するのが効果的といったが、生徒の学習への動機づけのために携帯電話が必須とは言えない。授業中の携帯電話の使用は、集中を妨げるだけで、携帯電話を使う生徒にも、他の生徒にも害である。

○ **争点２「どちらがコミュニケーションの観点からよいか」**

肯定側は携帯電話がコミュニケーションをとる第一歩といったが、シャイな生徒は、まず話しかけることができないため、メールアドレスも入手できない。

たとえメールアドレスを入手できたとしても、メールでのコミュニケーションに頼ってしまい、将来にとって有害である。

⑥PMR

○ 否定ポイント２「携帯電話の費用」への反論

・携帯電話の費用が問題というが、高校生割引サービスがあるので問題ない。

○ 争点１「学習」

否定側は、携帯電話の授業中の使用は集中を乱すといったが、それはあまり重要でない。携帯電話を授業中に使用できれば、インターネットを通して即座に鮮やかな写真を見たり、音を聞いたり、詳細な情報を検索したりすることができるので、よりよい理解につながる。

○ 争点２「コミュニケーション」

否定側は、携帯電話に頼ると面と向かったコミュニケーションができなくなることを指摘したが、シャイな生徒は少しずつ直接コミュニケーションをとろうとするようになる。

授業のための補足　5

● ラウンド中の相談

　ディベートラウンド中は、着席しているチームメイト同士で相談してもよい。

　ただし相手チームやジャッジ、聴衆の迷惑とならない範囲で話さなければならない。

　ひそひそ話をしていると、スピーカーの話を聞き逃すこともあるので注意する。

　筆談やメモを手渡したりして、チーム内でコミュニケーションするのもよい。

● 演台で話しているチームメイトへの補助

　演台で話しているチームメイトに、着席している者が声を出して指示をしたり、紙を回したりすることは基本的にしない。

　あくまで演台で話しているスピーカー自身の力で、スピーチ時間を乗り切らねばならない。

6章　ミニディベート「Summary and Refute」

チームを組まずに簡単にディベートを練習できる方法として、「Summary and Refute」というミニディベートを紹介する。

ディベートの基本的な構成は「反論」と「立論」である。「Summary and Refute」では少人数・短時間でできる**即興的な反論と立論**の訓練を行う。

ひとつの論題に対して1〜3人程度で、1人30秒〜1分程度のスピーチを「**肯定、否定、肯定……**」の順番に行う。

奇数の人数で行うと、2周目には反対側の意見を述べることになって面白い。

以下にスピーカーの役割をまとめる。

ジャッジや見学者が、ディベートが始まるまでの待ち時間に実践するのもよい。

⑴ **1st speaker (Government)**

① 定義　　　　　　ディベートの最低限の土台ができるよう簡単に定義する。

② 肯定ポイント1　サインポストを述べて、肯定する理由を1つ述べる。

⑵ **2nd Speaker (Opposition)**

① 反論　　　　　　1st speaker（Gov）の肯定ポイント1への反論を1つ行う。

② 否定ポイント1　サインポストを述べて、否定する理由を1つ述べる。

⑶ **3rd Speaker (Government)**

① 反論　　　　　　2nd speaker（Opp）の否定ポイント1への反論を1つ行う。

② 肯定ポイント2　サインポストを述べて、肯定する新しい理由を1つ述べる。
　　　　　　　　　ただし、1st speakerとは異なる新しい論点を出す。

以下同様に否定、肯定……と続く。2周目くらいで終了する。

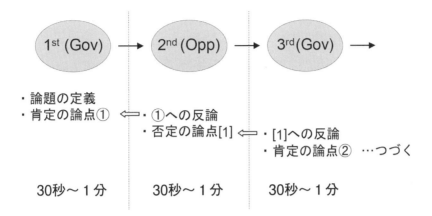

・論題の定義
・肯定の論点①　⇐・①への反論
　　　　　　　　・否定の論点[1]　⇐・[1]への反論
　　　　　　　　　　　　　　　　　・肯定の論点②　…つづく

30秒〜1分　　　30秒〜1分　　　30秒〜1分

【Summary and Refuteの効果】

○　スピーチの時間が短いため、コンパクトに議論をまとめる訓練となる。

○　準備時間がないため即興性がより身につく。

○　待ち時間などに簡単にできるため、常に英語を口に出す練習になる。

○　ポイントがどんどん出てくるため、最後の方ではなけなしの考えを搾り出す力が生まれる。

次にSummary and Refuteのスピーチ例を示す。基本の構成ごとに段落分けをしている。

太字下線部は、一般的に使用できるフレーズ例である。

1st Speaker（Government）

【挨拶】 Good afternoon everyone.

【お題】 Today's topic is that "We should ban tobacco."

【定義】 I define the topic as follows.

The Japanese government will ban selling tobacco.

【サインポスト】 My point is "Smokers' health".

【肯定論点①の説明】 It is known that tobacco is bad for health. It causes high risk of lung cancer. However, it is very difficult for smokers to stop smoking by their own will because some smokers love smoking and will buy tobacco if they see vending machines. They will not be able to control their desire, and will buy one or two packs of tobacco. After taking our proposal, smokers can't buy tobacco because tobacco stores will not exist. As a result, smokers will not be able to smoke, which will protect the smoker's health.

【閉めの言葉】 Therefore, I beg to propose. Thank you.

2nd Speaker (Opposition)

【挨拶】Thank you.

【肯定論点①への反論】The previous speaker talked about smokers' health.

    However, the smokers' health will not be protected.

    Because, smokers will buy tobacco in foreign countries and continue to smoke secretly at their home if they love to smoke.

    Therefore, smokers' health will not be protected so much.

【自分のポイントへの移行】Let me move on to my point.

【サインポスト】My point is "Freedom of choice".

【否定論点［１］の説明】It is the choice of smokers whether or not they smoke. Some smokers believe that life with smoking is much better than life without smoking, even though smoking may cause cancers. Why can the Japanese government judge the value of life for each smoker? There is no right for others to determine someone's value.

【閉めの言葉】Therefore, I beg to oppose. Thank you.

3rd Speaker (Government)

【挨拶】 Thank you.

【否定論点[１]への反論】 The previous speaker said that government should not intervene the value of life for individuals.

However, governments sometimes must decide the choice of people to protect them.

This is because people can't protect themselves without the help of the government. For example, the government obliges passengers in cars to wear seatbelts, including those who don't like to wear seatbelts. When there are no restrictions, people who dislike wearing seatbelt would not fasten their seatbelt and risk their lives in accidents. The government's role is to protect citizens, not to lead them to death.

Therefore, restriction of freedom of choice is justified.

【自分のポイントへの移行】 Let me move on to my point.

【サインポスト】 My point is "Second-hand smoking".

【肯定論点②の説明】 Under the status quo, millions of non-smokers are exposed to polluted air from smokers in restaurants, work, or at home. Second-hand smoking damages the health of people near smokers, which causes a huge risk of cancer. In order to protect the non-smokers' health, stopping the sales of tobacco is very necessary.

【閉めの言葉】 Therefore, I beg to propose. Thank you.

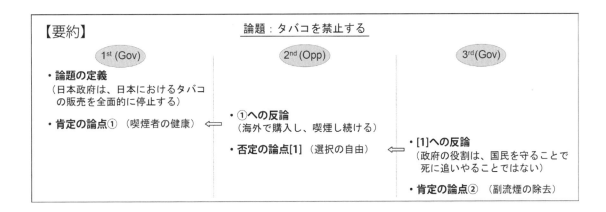

　次ページに、それぞれのスピーカーの基本的なスピーチ構成を書き出したスピーチ
フォーマットを示す。空欄を埋めれば、一通りのスピーチが完成するようになっている。
　上記のスピーチ例における太字下線部を、フレーズの一例として記載した。
　ただSummary and Refuteは即興的な訓練が目的であるので、空欄に書き込む作業は
適当ではないと考えられる。スピーチフォーマットの構成やフレーズを目で追いながら、
即興で議論を用意してスピーチできるようになればよい。

1st Speaker（Government）

【挨拶】Good afternoon everyone.

【お題】Today's topic is that " _____ "

【定義】First, let me define the topic. I define the topic as follows.

_____ .

【サインポスト】My point is _____ .

【肯定論点①の説明】

_____

【閉めの言葉】Therefore, I beg to propose. Thank you.

2nd Speaker（Opposition）

【挨拶】Thank you.

【肯定論点①への反論】The previous speaker said _____ .

However, _____ .

Because _____ .

Therefore, _____ .

【自分のポイントへの移行】Let me move on to my point.

【サインポスト】My point is _____ .

【否定論点［1］の説明】

_____

【閉めの言葉】Therefore, I beg to oppose. Thank you.

3rd Speaker（Government）

【挨拶】Thank you.

【否定論点［1］への反論】The previous speaker said _____ .

However, _____ .

Because _____ .

Therefore, _____ .

【自分のポイントへの移行】Let me move on to my point.

【サインポスト】My point is _____ .

【肯定論点②の説明】

_____

【閉めの言葉】Therefore, I beg to propose. Thank you.

7章　フレーズ集

ディベートで使用できるフレーズを以下にまとめる。

(1)　挨拶

・ Hello everyone.	こんにちは、みなさん。
・ Good afternoon, ladies and gentlemen.	こんにちは、みなさん。

(2)　立論

(2)-1　現状確認

・ Today,	今日、
・ In present situation,	現状では、
・ Under the status quo,	現状では、

(2)-2　説明の入り方

・ We have two points.	2つのポイントがあります。
・ Let me explain ~ .	～ を説明させてください。
・ Let me discuss ~ .	～ を説明させてください。
・ Let me show ~ .	～ を示させてください。
・ Let me analyze ~ .	～ を分析させてください。
・ Let me talk about ~ .	～ についてお話させていただきます。
・ I'm going to talk about ~ .	～ について話します。
・ I'd like to explain ~ .	～ を説明させていただきます。
・ Let's move on to ~ .	～ に移りましょう。

(2)- 3　主張

・ We(I)'d like to suggest that ~ .	～ を提案したいと思います。
・ We think we should ~ .	～ するべきだと思います。
・ We don't think we should ~ .	～ するべきではないと思います。
・ What we'd like to ~ is … .	私達が ～ したいことは、… です。
・ I think ~ .	～ だと思います。
・ I don't think ~ .	～ だとは思いません。
・ My point is that ~ .	ポイントは ～ です。
・ Our … is(are) ~ .	私たちの … は ～ です。
・ I agree with … because ~ .	～ なので … には賛成です。
・ I disagree with … because ~ .	～ なので … には反対です。
・ I am strongly against ~ .	～ には絶対反対です。
・ The problem is ~ .	問題は、～ 。
・ There is a possibility that ~ .	～ という可能性があります。

(2)- 4　比較

・ A is superior to B.	AはBより優れている。
・ A is better than B.	AはBよりよい。
・ Let me compare A and B.	AとBを比べてみましょう。
・ Compared with ~ (Compared to ~)	～ と比較すると、
・ If you compare A and B,	AとBを比較すると、
・ Contrary to ~,	～ とは反対に、

⑵－5　例

・ According to ~	～ によると
・ For example,	例えば、
・ Please imagine ~	～ を想像してみてください。
・ Here is the example that ~ .	～ という例があります。

⑵－6　その他

・ There is (are) ~ .	～ があります。
・ It depends on ~ .	～ によります。
・ It is … to ~ .	～ することは … です。
・ It's obvious that ~ .	～ は明らかです。
・ in terms of ~	～ の点で、～ の観点で
・ Besides, ~ .	加えて、～
・ More importantly, ~ .	さらに重要なことに、～。
・ It costs ~ .	（お金などが）かかります。
・ That's because ~ .	それは ～ だからです。
・ There is a people who ~ .	～ する人がいる。
・ good / bad	よい / 悪い
・ better / worse	よりよい / より悪い
・ increase / decrease	増える / 減る

(3) 反論

(3)-1　反論の入り方

・ Let me rebut Government side's argument.	肯定チームの議論について反論します。
・ Let me refute / rebut their first point ~ .	彼らの第1ポイント ～ について、反論します。
・ They said ~ .	彼らは ～ と言いました。
・ However,	しかしながら、
・ Because ~	なぜなら、～
・ Therefore,	したがって、

(3)-2　反論の方法

・ It is not (so) important.	それは（あまり）重要でありません。
・ It is not (always) true.	（いつも）そうではありません。
・ It is doubtful that ~ .	～ は疑わしいです。
・ It is contradiction.	それは矛盾です。
・ There is no reason why ~ .	という理由がありません。
・ There is no link between A and B.	AとBは関係ありません。
・ Even if ~ ,	たとえ ～ でも、
・ It is rare case.	それはまれな場合です。

(4) まとめ

・ In conclusion, ~ .	結論を言うと、〜 です。
・ Let me summarize today's round.	本日のラウンドをまとめます。
・ The most important point is ~ .	最も重要な点は、〜 。
・ The clash in this debate is ~ .	このディベートの争点は、〜 。
・ I beg to propose / oppose.	肯定 / 否定します。
・ We win in this round.	このラウンドは私たちの勝ちです。
・ Thank you.	ありがとうございました。

(5) 質問 (問いかけ)

・ How is ~ ?	〜 はどうですか？
・ What is ~ ?	〜 は何ですか？
・ Do you think ~ ?	〜 だと思いますか？
・ How about ~ ?	〜 はいかがですか？
・ What do you think about ~ ?	〜 についてどう思いますか？
・ Do you think we should ~ ?	〜 するべきだと思われますか？
・ Would you say that (slowly / in a big voice) ?	(ゆっくり / もっと大きな声で)、言ってください。
・ What if ~ ?	〜 だったら（どうしますか）？
・ Why do you think ~ ?	なぜ 〜 だと思うのですか？
・ How do you ~ ?	どうやって 〜 しますか？
・ Do you agree with ~ ?	〜 に賛成ですか？

オリジナル　フレーズシート

ディベートにおいて使いたいフレーズを以下に記入していきましょう。

英　語	日本語

8章　各種シート

　授業において即興型の英語ディベートを導入するにあたり、生徒が何をすればよいかが分かるよう手助けをするためのシートを紹介する。

(1)　ブレストシート

　ブレストシートは、ブレインストーミングをするためのシートである。

　論題が発表された後の準備時間15分にしなければならないことを書いている。

　例えばGovernment の場合は

0分〜1分	論題の共通理解と定義の設定
1分〜4分	各自でアイデアを出す
4分〜7分	アイデアを発表、話し合う
7分〜8分	2つの論点（肯定する理由）に分ける
8分〜15分	各自でスピーチを作る

を、効果的な準備時間の使い方として紹介している。

　準備時間15分においてチームでしなければいけないことは、

ポイント（論点）を2つにしぼり、それらの題名（サインポスト）を決定すること

である。サインポストが決まれば、それをチーム内で共有することが重要である。

　なおサインポストは、内容を端的に示す単語または一文となる。5 words以内が簡単で分かりやすい。

　ブレインストーミングの一例は、まず初めに論題内の単語の分析を始めることである。

　論題内の単語を分析し、論題に関する重要な事柄・単語をブレストシートに羅列する。

　それらを中心に、さらなるアイデアを放射状に伸ばす。

　出てきたアイデアの中から最も強いと思うポイントを2つ選択する。

　ブレストシートの記入例を添付しているので、参照されたい。

ブレストシート

※ 論題が発表される前に，スピーチする順序を決めておきましょう。

<u>＜プレパ時間の使い方　目安＞</u>

<u>Government</u> の場合

0〜1分：論題の共通理解と定義の設定

1分〜4分：各自でアイデアを出す（☆）

4分〜7分：アイデアを発表，話し合う

7分〜8分：2つの論点(肯定する理由)に分ける

8分〜15分：<u>各自でスピーチを作る</u>

PM: 定義，肯定ポイント1のスピーチ準備

MG: 肯定ポイント2の準備（と否定ポイントの予想，反論の列挙）

PMR: 肯定ポイント1，2の理解，否定ポイントの予想，反論の列挙，争点の予想

<u>Opposition</u> の場合

0〜1分：論題の共通理解と定義の予想

1分〜4分：各自でアイデアを出す（☆）

4分〜7分：アイデアを発表，話し合う

7分〜8分：2つの論点(否定する理由)に分ける

8分〜15分：<u>各自でスピーチを作る</u>

LO: 否定ポイント1の準備（と肯定ポイントの予想，反論の列挙）

MO: 否定ポイント2の準備（と肯定ポイントの予想，反論の列挙）

LOR: 否定ポイント1，2の理解，肯定ポイントの予想，反論の列挙，争点の予想

☆1 論題の単語の分析

☆2 論題に関する事柄を中心に，アイデアを放射状に伸ばす

論題：_____

ポイント名①：_____

ポイント名②：_____

ブレストシート

※ 論題が発表される前に，スピーチする順序を決めておきましょう。

＜プレパ時間の使い方　目安＞

Government の場合

0〜1分：論題の共通理解と定義の設定

1分〜4分：各自でアイデアを出す（☆）

4分〜7分：アイデアを発表，話し合う

7分〜8分：2つの論点(肯定する理由)に分ける

8分〜15分：各自でスピーチを作る

↓

PM: 定義，肯定ポイント1のスピーチ準備

MG: 肯定ポイント2の準備（と否定ポイントの予想，反論の列挙）

PMR: 肯定ポイント1，2の理解，否定ポイントの予想，反論の列挙，争点の予想

Opposition の場合

0〜1分：論題の共通理解と定義の予想

1分〜4分：各自でアイデアを出す（☆）

4分〜7分：アイデアを発表，話し合う

7分〜8分：2つの論点(否定する理由)に分ける

8分〜15分：各自でスピーチを作る

↓

LO: 否定ポイント1の準備（と肯定ポイントの予想，反論の列挙）

MO: 否定ポイント2の準備（と肯定ポイントの予想，反論の列挙）

LOR: 否定ポイント1，2の理解，肯定ポイントの予想，反論の列挙，争点の予想

☆1　論題の単語の分析

☆2　論題に関する事柄を中心に，アイデアを放射状に伸ばす

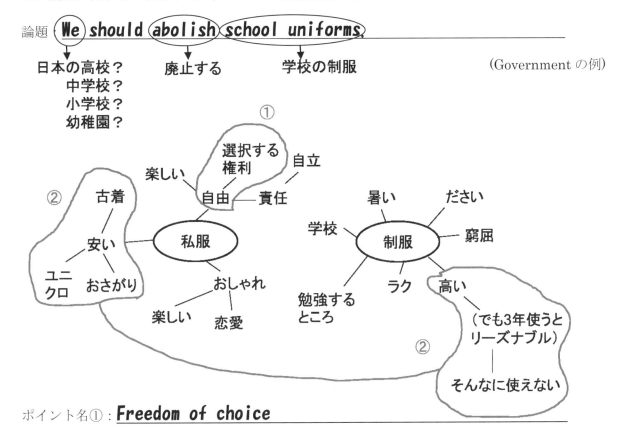

論題：(We) should (abolish) school uniforms.

日本の高校？　　　　廃止する　　　　学校の制服　　　　(Government の例)
中学校？
小学校？
幼稚園？

ポイント名①：**Freedom of choice**

ポイント名②：**Cost**

⑵　スピーチシート

　Prime Minister からPrime Minister Replyまでのそれぞれの役割に対するスピーチシートを示す。

　スピーチシートに沿って意見を書き込めば、基本的なスピーチ構成が完成する。

　それぞれの空欄に何を書き込めばよいのかは、右端に補足説明した。実線枠は準備時間に記入する部分、点線枠は相手の意見を聞いてから記入する部分である。

　Reply担当は準備時間に記入できる部分が少ないが、最低限自分たちのチームの論点の2つのサインポストを書いておく必要がある。

　また相手側から出そうな論点を考えたり、チームメイトに必要な情報を考えたりして、必要に応じてそれをチームメイトへ伝える。

　5章のモデルディベートに対応したスピーチシート例を添付する。

　スピーチシートはディベータ自身のメモである。スピーチする際に自分で分かれば十分であるので、単語を略して記載している部分もある。

　またモデルディベートは、ディベートにある程度慣れた場合での試合を想定したため、スピーチシート右端の補足と若干内容が異なることもある。

　例えば「論題の否定文を記入する」とあるが、慣れれば単に論題を否定文にするだけでなく、チームのスタンスを交えた主張を記入するのが効果的である。

　また、反論において**They said**の後に記入する欄は、慣れないうちは相手チームのサインポストのみを記入するだけでもよい。慣れてきたら、相手チームが述べた部分の特にどこに反論するかを示すようになれば更によい。

　Replyスピーチは、**Most important point is** という形式で重要な点を選び出す形式としているが、モデルディベートのように争点を複数持ち出して比較したいなら、それぞれの争点ごとに説明を準備すればよい。

スピーチシート

Prime Minister (PM) （肯定側1番目）

挨拶　Hello everyone.

お題　Today's topic is

> 論題を記入する

定義　We define the motion as follows.

> 定義を必要とする事柄があれば定義する

肯定ポイントの数の確認　We have two points.

> 肯定ポイント1の題名を記入する

肯定ポイント1の名前　The 1st point is

> 肯定ポイント2の題名を記入する

肯定ポイント2の名前　The 2nd point is

肯定ポイント1の説明　I will explain the 1st point

> 肯定ポイント1の題名を記入する

We believe that

> 肯定ポイント1の具体的な説明を記入する

> 論題を記入する（肯定）

結論　Therefore,

終わりの挨拶　Thank you.

63

Leader of the Opposition (LO) （否定側１番目）

挨拶　Hello everyone.

否定側の方針確認　We believe that

> 論題の否定文を記入する

肯定ポイント１への反論　Let me rebut what the Government team said.

They said

> PM で述べられた肯定ポイント１を記入する

However,

> 肯定ポイント１への反論を記入する

Therefore,

> 肯定ポイント１が成立しないという結論を記入する

否定ポイントの数の確認　Next, let me explain our points. We have two points.

否定ポイント１の名前　The 1st point is

> 否定ポイント１の題名を記入する

否定ポイント２の名前　The 2nd point is

> 否定ポイント２の題名を記入する

否定ポイント１の説明　I will explain the 1st point

> 否定ポイント１の題名を記入する

We believe that

> 否定ポイント１の具体的な説明を記入する

結論　Therefore,

> 論題の否定を記入する

終わりの挨拶　Thank you.

64

Member of the Government (MG) （肯定側2番目）

挨拶 Hello everyone.

肯定側の方針確認 We believe that

【論題を記入する（肯定）】

否定ポイント1への反論 Let me rebut Opposition's 1st point.

They said

However,

【LO で述べられた否定ポイント1を記入する】

【否定ポイント1への反論を記入する】

Therefore,

【否定ポイント1が成立しないという結論を記入する】

肯定ポイント1の立て直し Next, let me reconstruct Government's 1st point.

They said

However,

【肯定ポイント1に対し、LO で述べられた反論を記入する】

【上記反論を踏まえ、肯定ポイント1が成立する理由を記入する】

Therefore,

【肯定ポイント1が成立するという結論を記入する】

肯定ポイント2の説明 Then, let me explain our 2nd point,

【肯定ポイント2の題名を記入する】

We believe that

【肯定ポイント2の具体的な説明を記入する】

【論題を記入する（肯定）】

結論 Therefore,

終わりの挨拶 Thank you.

Member of the Opposition (MO) （否定側 2 番目）

挨拶　Hello everyone.

否定側の方針確認　We believe that

> 論題の否定文を記入する

肯定ポイント 1 への反論　Let me rebut Government's 1st point.

They said

> MG（または PM）で述べられた肯定ポイント 1 を記入する

However,

> 上記意見を踏まえ、肯定ポイント 1 への反論を記入する

Therefore,

> 肯定ポイント 1 が成立しないという結論を記入

肯定ポイント 2 への反論　As for Government's 2nd point.

They said

> MG で述べられた肯定ポイント 2 を記入する

However,

> 肯定ポイント 2 への反論を記入する

Therefore,

> 肯定ポイント 2 が成立しないという結論を記入する

否定ポイント 1 の立て直し　Next, let me reconstruct Opposition's 1st point.

They said

> 否定ポイント 1 に対し、MG で述べられた反論を記入する

However,

> 上記反論を踏まえ、否定ポイント が成立する理由 記入する

Therefore,

> 否定ポイント 1 成立するという 論を記入する

否定ポイント 2 の説明　Then, let me explain our 2nd point,

> 否定ポイント 2 題名を記入する

We believe that

> 否定ポイント の具体的な説明 を記入する

結論　Therefore,

> 論題の否定を記入する

終わりの挨拶　Thank you.

66

Leader of the Opposition Reply (LOR) （否定側まとめ）

挨拶　Hello everyone.

否定側の方針確認　We believe that

> 論題の否定文を記入する

ディベートのまとめ　Let me summarize today's debate.

最も重要なこと　The most important point is

> 最も重要な点を記入する

肯定側の意見　On this point, their idea is

> 最も重要な点に関する肯定側の意見を記入する

否定側の意見が優れている理由　However, our argument is superior.

It is because

> 否定側の意見の方が優れている理由を記入する

結論　Therefore,

> 論題の否定を記入する

終わりの挨拶　Thank you.

> 肯定ポイント1, 2 否定ポイント1, 2 の題名を記入する

---------- メ モ ----------

【肯定ポイント1】

【否定ポイント1】

【肯定ポイント2】

【否定ポイント2】

Prime Minister Reply (PMR)（肯定側まとめ）

挨拶　Hello everyone.

肯定側の方針確認　We believe that

（論題を記入する（肯定））

否定ポイント2への反論　First, let me rebut Opposition's 2nd point.

They said

（MO で述べられた否定ポイント2を記入する）

However,

（否定ポイント2への反論を記入する）

Therefore,

（否定ポイント2が成立しないという結論を記入する）

ディベートのまとめ　Then, I will summarize today's debate.

最も重要なこと　The most important point is

（最も重要な点を記入する）

否定側の意見　On this point, their idea is

（最も重要な点に関する否定側の意見を記入する）

肯定側の意見が優れている理由　However, our argument is superior.

It is because

（肯定側の意見の方が優れている理由を記入する）

結論　Therefore,

（論題を記入する（肯定））

終わりの挨拶　Thank you.

---------- メモ ----------

（肯定ポイント1, 2 否定ポイント1, 2 の題名を記入する）

【肯定ポイント1】

【否定ポイント1】

【肯定ポイント2】

【否定ポイント2】

スピーチシート

Prime Minister (PM) （肯定側１番目）

挨拶　Hello everyone.

お題　Today's topic is

> 論題を記入する

We should allow the usage of cell-phone at schools.

定義　We define the motion as follows.

> 定義を必要とする事柄があれば定義する

All high schools in Japan should allow the usage of cell-phones. + even during classes.

肯定ポイントの数の確認　We have two points.

> 肯定ポイント１の題名を記入する

肯定ポイント１の名前　The 1st point is　**Effective learning**

> 肯定ポイント２の題名を記入する

肯定ポイント２の名前　The 2nd point is　**Effective communication**

肯定ポイント１の説明　I will explain the 1st point

> 肯定ポイント１の題名を記入する

Effective learning

We believe that

> 肯定ポイント１の具体的な説明を記入する

★**a cell-phone has several uses.**

    Making phone calls

    Sending emails

    Searching info. through Internet.

★**cell-phone = compact**　　ⓔⓧ　100-150g

  ⇔　　**PC = bigger**　　ⓔⓧ　1kg 以上　⌉ T/F cell-phone

                             →convenient

★**cell-phone = effective tool for learning.**

  ⓔⓧ Chemistry classes→observe the chemical reaction carefully

  We can see the picture of chemical reaction through Internet.

⇒**promote student's understanding +**　⌈ Motivation &

                                       ⌊ Interest in studying

> 論題を記入する（肯定）

結論　Therefore,　**we should allow the usage of cell-phones at schools.**

終わりの挨拶　Thank you.

Leader of the Opposition (LO)（否定側1番目）

慣れれば教科書のように

> The usage of cell-phones is very harmful to high school students.

挨拶　Hello everyone.

否定側の方針確認　We believe that

> we should not allow the usage of cell-phones at schools.

論題の否定文を記入する

肯定ポイント1への反論　Let me rebut what the Government team said.

They said
> "Effective learning". Ⓢ's learn additional info through Int.
> th

PMで述べられた肯定ポイント1を記入する

However,
> **This is not important.**
> -If Ⓢ really want to study→ask Ⓣ,use Int. at home.
> M/O –cheating in exam. ⓔⓍ 知恵袋

肯定ポイント1への反論を記入する

Therefore,
> **Students can not learn effectively even they use cell-phones at schools.**

肯定ポイント1が成立しないという結論を記入する

否定ポイントの数の確認　Next, let me explain our points. We have two points.

否定ポイント1の名前　The 1st point is
> **Disturbing concentration**

否定ポイント1の題名を記入する

否定ポイント2の名前　The 2nd point is
> **Cost of having a cell-phone**

否定ポイント2の題名を記入する

否定ポイント1の説明　I will explain the 1st point
> **Disturbing concentration**

否定ポイント1の題名を記入する

We believe that

> **Using cell-phones during class will just disturb Ⓢ's concentration.**
>
> ⓔⓍ - send emails
>   - ✕ listen to what Ⓣ is saying
>   ↓
>   ✕ follow lectures & ↓motivation to study
>
> **Also harm to Ⓢ who don't use c-p.**
>
> ⓔⓍ c-p rings and interrupts the class.

否定ポイント1の具体的な説明を記入する

結論　Therefore,
> **we should not allow the usage of cell-phone at schools.**
> (usage of c-p does more harm than good to h/s Ⓢ.)

論題の否定を記入する

終わりの挨拶　Thank you.

Member of the Government (MG) （肯定側 2 番目）

挨拶　Hello everyone.

肯定側の方針確認　We believe that

> **We should allow the usage of cell-phone at schools.**

論題を記入する（肯定）

否定ポイント1への反論　Let me rebut Opposition's 1st point. **"Disturbing concentration"**

They said
> **Some ⑤ will send emails and won't concentrate on their studies.**

LO で述べられた否定ポイント 1 を記入する

However,
> **It is freedom of choice.　B/C h/s = × compulsory edu.**
>
> **T/S ringing interrupt other ⑤**
>
> **H/E　→　manner mode　→　OK**

否定ポイント 1 への反論を記入する

Therefore,
> **"Disturbing concentration" is not a problem.**

否定ポイント 1 が成立しないという結論を記入する

肯定ポイント1の立て直し　Next, let me reconstruct Government's 1st point.

"Effective learning"

They said
> **We can ask the ⓣ or search Int. after sch.**

肯定ポイント 1 に対し、LO で述べられた反論を記入する

However,
> **It is irrelevant.**
> If ⑤ really have a question, ⑤'s mtv will continue. Most important thing is to learn when a question arises immediately.
>
> **T/S cheating.**
> **H/E we can solve, if ⓣ prohibit usage of c-p during exam.**

上記反論を踏まえ、肯定ポイント 1 が成立する理由を記入する

Therefore,
> **c-p is nece for "Effective learning".**

肯定ポイント 1 が成立するという結論を記入する

肯定ポイント2の説明　Then, let me explain our 2nd point,

> **Effective　communication**

肯定ポイント 2 の題名を記入する

We believe that

> **H/S ⑤ are shy.**
>
> They want to become friendly with their classmates but they can't.　→　c-p = effective　→　send emails & make friends.
>
> **Shy ⑤ gradually try to communicate with others face to face.**

肯定ポイント 2 の具体的な説明を記入する

論題を記入する（肯定）

結論　Therefore,
> **We should allow the usage of cell-phone at schools.**

終わりの挨拶　Thank you.

Member of the Opposition (MO) （否定側 2 番目）

挨拶 Hello everyone.

否定側の方針確認 We believe that

> **A cell-phone does more harm than good to H/S Ⓢ.**

論題の否定文
記入する

肯定ポイント1への反論 Let me rebut Government's 1st point. "Effective learning"

They said
> **In order to keep Ⓢ's mtv, c-p is nece.**

MG（または PM
で述べられた
肯定ポイント
を記入する

However,
> **it is not true.**
>
> If Ⓢ really has a question, the Ⓢ's mtv will continue even w/o a c-p.

上記意見を踏
え、肯定ポイン
1への反論を記
する

Therefore,
> **c-p is not nece.**

肯定ポイント
が成立しない
いう結論を記

肯定ポイント2への反論 As for Government's 2nd point. "Effective communication"

They said
> **c-p are useful for shy Ⓢ.**

MG で述べら
た肯定ポイント
を記入する

However,
> How will the shy Ⓢ get their favorite person's email address?
>
> A shy Ⓢ × speak to & × get the email address.

肯定ポイント
への反論を記
する

Therefore,
> **their explanation is not enough.**

肯定ポイント
が成立しない
いう結論を記
する

否定ポイント1の立て直し Next, let me reconstruct Opposition's 1st point.

> ### "Disturbing concentration"

They said
> **Using a c-p is the ind's freedom of choice.**

否定ポイント
に対し、MG で
べられた反論
記入する

However,
> **It is not true.**
>
> B/C H/S = place for study, not play.
>
> H/S have responsibility to provide the env for study.
>
> **T/S manner mode × disturct others.**
>
> H/E manner mode vibration also makes a noisy sound.

上記反論を
え、否定ポイン
が成立する理
記入する

Therefore,
> **allowing usage of c-p at sch is wrong.**

否定ポイント
成立するとい
論を記入する

否定ポイント2の説明 Then, let me explain our 2nd point,

> **Cost of having a c-p**

否定ポイント2
題名を記入する

We believe that

> Cost of having a c-p is not cheap.→basic free + phone bill.
>
> Many parents suffer from expensive bills.
>
> Other classmates have c-p →H/S Ⓢ wants to have c-p.
>
> If sch prohibit the usage of c-p at sch, Ⓢ less likely to want c-p.

否定ポイント
の具体的な説
を記入する

結論 Therefore,
> **H/S should prohibit the usage of c-p.**

論題の否定を
記入する

終わりの挨拶 Thank you.

72

Leader of the Opposition Reply (LOR) （否定側まとめ）

挨拶　Hello everyone.

否定側の方針確認　We believe that

usage of c-p at high sch is harmful.

> 論題の否定文を記入する

ディベートのまとめ　Let me summarize today's debate.

最も重要なこと　The most important point is

①which is educational?
②which is better for communication?

> 最も重要な点を記入する

肯定側の意見　On this point, their idea is

①T/S using c-p in class is effective.	②T/S c-p is the first step to communicate.

> 最も重要な点に関する肯定側の意見を記入する

否定側の意見が優れている理由　However, our argument is superior.

It is because

① H/E × clear necessity of c-p to motivate students to study. ⇩ **c-p just disturb ⓢ.**	**②H/E ⓢ ×ask for email address of a favorite person.** **Even if ⓢ get email address,** →depend on email　communication →harmful for future.

> 否定側の意見の方が優れている理由を記入する

結論　Therefore,

We should NOT allow the usage of c-p at sch.

> 論題の否定を記入する

終わりの挨拶　Thank you.

> 肯定ポイント1, 2
否定ポイント1, 2の題名を記入する

---------- メモ ----------

【肯定ポイント1】

Effective learning

【否定ポイント1】

Disturbing concentration

【肯定ポイント2】

Effective communication

【否定ポイント2】

Cost of having a cell-phone

Prime Minister Reply (PMR) （肯定側まとめ）

挨拶　Hello everyone.

肯定側の方針確認　We believe that

> 論題を記入する（肯定）

we should allow the usage of cell-phones at high schools.

否定ポイント 2 への反論　First, let me rebut Opposition's 2nd point. **"Cost of having a c-p"**

> MO で述べられた否定ポイント 2 を記入する

They said	**Cost is problem.**

However	**there are discount services for H/S ⓢ.**

> 否定ポイント 2 への反論を記入する

> 否定ポイント 2 が成立しないという結論を記入する

Therefore,	**it is not a problem.**

ディベートのまとめ　Then, I will summarize today's debate.

最も重要なこと　The most important point is

> 最も重要な点を記入する

(1) **study**	(2) **communication**

否定側の意見　On this point, their idea is

> 最も重要な点に関する否定側の意見を記入する

(1) **disturbing concentration**	(2) **worried about the difficulty of face to face communication.**

肯定側の意見が優れている理由　However, our argument is superior.

It is because

> 肯定側の意見の方が優れている理由を記入する

(1)　**not very important.** c-p: We can see vivid pictures, listen to sounds search detailed info through Internet quickly. ⟹ **Better understanding.**	(2) **H/E shy ⓢ will gradually try to communicate with others face to face.**

結論　Therefore,

> 論題を記入する（肯定）

H/S should allow the usage of c-p.

終わりの挨拶　Thank you.

> 肯定ポイント 1, 2 否定ポイント 1, 2 の題名を記入する

--------- メモ ---------

【肯定ポイント 1】	【否定ポイント 1】
Effective learning	**Disturbing concentration**
【肯定ポイント 2】	【否定ポイント 2】
Effective communication	**Cost of having a cell-phone**

⑶　フローシート

　フローシートとは、ディベートにおいてそれぞれのスピーカーが話した内容をメモするためのシートである。

　スピーチシートに沿ってスピーチが行われれば、すべての箇所に議論が入ることになる。

　一人分のスピーチを縦に書き、その次の人のスピーチを右横に書くことで、話された論点がどのように反論され、再構築されたかが分かりやすくなる。

　Government側を黒、Opposition側を赤でというように色分けすると分かりやすい。

　フローシートの太四角には、肯定また否定ポイントのサインポスト（題名）を記入する。

　スピーチシート通りにスピーチが進めば、括弧内の左上の数字の順に話が埋まっていく。

　5章のモデルディベートに対応したフローシート例を添付する。

　フローシートはメモであるので、自分で分かれば十分である。適宜略して記載すればよい。

　ディベータが話した内容を全文書くのは時間的に無理がある。

Prime Minister (PM) 肯定 1	Leader of the Opposition (LO) 否定 1	Member of the Government (MG) 肯定 2

Definition

1

肯定ポイント①の説明

2

肯定ポイント①への反論

1

肯定ポイント①の立て直し

2

肯定ポイント②

肯定ポイント②の説明

3

否定ポイント[1]の説明

2

否定ポイント[1]への反論

1

否定ポイント[2]

Member of the Opposition (MO) 否定 2	Leader of the Opposition Reply (LOR) 否定まとめ	Prime Minister Reply (PMR) 肯定まとめ
	最も重要なこと 1	最も重要なこと 2
肯定ポイント①への反論 1	肯定側の意見 2	否定側の意見 3
肯定ポイント②への反論 2	否定側の意見が優れている理由 3	肯定側の意見が優れている理由 4
否定ポイント[1]の立て直し 3		
否定ポイント[2]の説明		否定ポイント[2]への反論 1
4		

Motion: We should allow the usage of cell-phones at schools.

Prime Minister (PM) 肯定1	Leader of the Opposition (LO) 否定1	Member of the Government (MG) 肯定2

Definition

1
- all high sch in JPN
- even during class
⇒ allow usage of c-p

肯定ポイント①の説明

Effective learning

2
- phone call, email, search through Int.
- CP: compact < PC
- (2x) chemical experiment
⇒ understand, mtv ↑

肯定ポイント②

Effective communication

肯定ポイント①への反論

1
× important.
- ask teacher, Int. at home
- cheating at exam
☑ 知恵袋

肯定ポイント①の立て直し

2 immediately searching が重要

exam では prohibit & check すればよい.

肯定ポイント②の説明

Effective communication

3 H/S ⑤ = shy
c-p → email.
→ make friends.
PoI 将来それでOKか?
↳ gradually, face to face

否定ポイント[1]の説明

Disturbing concentration

2 ④A send emails during class
→ × listen ⑰
→ lose concentration
→ × follow lecture
→ mtv ↓

否定ポイント[2]

Cost of having a cell-phone

否定ポイント[1]への反論

1 freedom of choice
H/S ≠ compulsory edu

マナーモードでOK

+ c-p ring
→ disturb others.

Member of the Opposition (MO) 否定2	Leader of the Opposition Reply (LOR) 否定まとめ	Prime Minister Reply (PMR) 肯定まとめ

最も重要なこと

LOR:
```
1
☆1  which is educational?

☆2. which is better for
     communication?
```

PMR: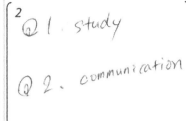
```
2
Q1. study

Q2. communication
```

肯定側の意見 (LOR) / **否定側の意見** (PMR)

LOR:
```
2  ☒1
   T/S  C-P = effective.
```

PMR:
```
3
Q1.
```

肯定ポイント①への反論 (MO)
```
1  if really has a question
   C-P = x nece ; mtv
                = continue
```

否定側の意見が優れている理由 (LOR) / **肯定側の意見が優れている理由** (PMR)

LOR:
```
3  H/E  x clear nece
        to mtv stu.

   - disturb ⑤
     & rest of class-
                  mates
```

PMR:
```
4  C-p = vivid picture
         sound
         info.
         quickly
   → better understanding
```

肯定ポイント②への反論 (MO)
```
2
why get favorite person's
email address ??
```

LOR:
```
☆2
T/S  C-P = first step
          to commu.

H/E  Shy ⑤  x get
             email address

e/if get,
   harmful for future.


M/O  Cost prob.
```

PMR:
```
disturbing is x very
            important

Q2
T/S  ⑤ x face to face
          commu.

H/E  gradually can
     face to face
          commu.
```

否定ポイント[1]の立て直し (MO)
```
3  T/S  Fr of choice
   H/E  h/s = place for study
        h/s = responsibility.
           to provide env. for study

   2+モード も noisy
```

否定ポイント[2]の説明 (MO)

> Cost of having a cell-phone.

```
4
C-P = basic fee, phone
                  bill
Pot (parents pay.)
 G prob.
b/c h/s ⑤ use C-P
w/o responsibility

Ⓟ suffer
皆がもつから. 自分も持ちたい.
```

否定ポイント[2]への反論 (PMR)
```
1
discount service
  for h/s ⑤ あり
```

⑷　チェアパーソンマニュアル

　チェアパーソンマニュアルは、ディベートを進行させる司会者のマニュアルである。
　枠内の文章を読み上げれば進行できるようになっている。
　授業では、ジャッジがチェアパーソンを兼ねればよい。

チェアパーソンマニュアル

（開始）

☐ Hello everyone.

Today's topic is _____.

Now, I welcome Prime Minister speech within 3 minutes.

↓

Prime Minister speech, 3minutes

↓

☐ Thank you.

Now, I welcome Leader of the Opposition speech within 3 minutes.

↓

Leader of the Opposition speech, 3minutes

↓

☐ Thank you.

Now, I welcome Member of the Government speech within 3 minutes.

↓

Member of the Government speech, 3minutes

↓

☐ Thank you.

Now, I welcome Member of the Opposition speech within 3 minutes.

↓

Member of the Opposition speech, 3minutes

↓

☐ Thank you.

Now, I welcome Leader of the Opposition Reply speech within 2 minutes.

↓

Leader of the Opposition Reply speech, 2minutes

↓

☐ Thank you.

Now, I welcome Prime Minister Reply speech within 2 minutes.

↓

Prime Minister Reply speech, 2minutes

↓

☐ Thank you.

Now, I close this round. Thank you for your cooperation. （拍手）

Please shake your hands. （対戦チーム同士，握手を促す）

（終了）

9章　論題リスト

論題例を以下に挙げる。取り組みやすそうなものから扱うのがよい。

クラスのレベルに応じて、また論題の難易度・論題に関する知識量に応じて、あらかじめ概要を日本語で学んだ後、ディベート実践を行う方がよい場合もある。

(1) 社会

- Japan should abolish death penalty.
- We should introduce compulsory voting.
- Fathers should take paternity leaves.

(2) 教育

- We should abolish school uniforms.
- Studying abroad is better than studying at a university in Japan.
- We should abolish homework.

(3) 倫理

- We should ban abortion.
- We should legalize euthanasia.
- We should allow surrogacy for profit.

(4) 環境

- We should introduce eco tax.
- We should penalize corporations that waste food.
- We should impose extra tax based on food mileage.

(5) 技術

- Space exploration is a waste of money.
- Automatic vehicle operation is better than human driving.
- Internet gives us more benefits than harm.

(6) 国際問題

- Japan should be a permanent member of UN Security Council.
- US military bases should be removed from Japan.
- Japan should have nuclear weapons.

10章　単語シート

　単語シートは、論題に関する単語をまとめたものである。

　準備時間が限られているため、単語を辞書で調べる手間を抑えることが主な目的である。

　レベルに応じて単語シートを準備時間の途中から配布するなど、工夫することもできる。

　また、ジャッジは準備時間中に単語シートに目を通し、知らない単語を覚える作業をしてもよい。

　次ページより示す単語シートは、教科書として通常授業で使用されている東京書籍のPROMINENCE Communication English Iを例に取り上げ、Lessonごとにディベートができるよう、それぞれのテーマに関連する論題を設定し、作成している。

　論題は初心者でも取扱いやすいものから、難易度の高いものまで選んでいる。

　ここで紹介する単語シートには論題の難易度が高いものも含まれているため、知識を補うための情報も追記している。

　ある程度の事前知識がある論題を取り扱うなら、単語のみのシートで十分である。

Lesson 1
Japanese food is better than western food for breakfast.
朝食には洋食よりも和食の方が良い.

healthy	健康な	prepare breakfast	朝食を準備する
low-calorie	低カロリー	take time	時間がかかる
fatty	脂肪過多の	salty	塩分が多い
low-fat	低脂肪の	favor	好み
unsatisfied	不満足な	delicious	おいしい
full	満腹な	easy	手軽
miso soup	味噌汁	convenient	便利
chopstick	はし	yogurt	ヨーグルト
rice ball	おにぎり	an egg fried sunny-sideup	[片面だけ焼いた]目玉焼き
blood sugar	血糖	vegetable	野菜
chew	〜を噛む	fresh juice	生ジュース
intangible cultural heritage	無形文化遺産	sweet	甘い
rice cooker	炊飯器	menu	メニュー
refrigerator	冷蔵庫	nutrition	栄養
a side dish	おかず	oily	油分の多い
get tired of	飽きる	in the morning	朝に
knife	包丁	troublesome	手間
cutting board	まな板	bother	面倒な
smell	匂い	reasonable	(値段が)それほど高くない
be accustomed to	慣れる	Time is money.	時は金なり

■和食が無形文化遺産に登録される(2013年12月)　※1

[和食の特徴]
・多様で新鮮な食材とその持ち味の尊重　　・栄養バランスに優れた健康的な食生活　　・自然の美しさや季節の移ろいの表現

■朝食に関する調査

・およそ8割の人が朝食を「ほぼ毎日食べる」と回答。[10代から60代全国男女(n=1200人)] ※2
・朝ごはんのメニューは「パン派」49.3%,「ごはん派」34.8%,「どちらでもない」15.8%。※2 ※3
・朝食にかける時間、「5〜10分」「10〜15分」が70%を超える。※2
・朝食のこだわり、求めるもの上位は「手軽に食べられるもの」「手早く食べられるもの」。※2
・半数以上が、朝食は「ひとり」で食べる。　※2 ※3

<参考>
※1　農林水産省, http://www.maff.go.jp/j/keikaku/syokubunka/ich/index.html, 参照日2014年5月16日
※2　リサーチバンク, 対称:10代から60代の全国男女, 有効回答:1200件, 調査期間:2011年8月6日から8月11日
　　　http://research.lifemedia.jp/2011/08/110817_breakfast.html
※3　※2の調査のうち、朝食を「ほぼ毎日食べる」「時々食べる」と回答した人(n=1117人)]

Lesson 2

A robot dog is better than a real dog.

本物の犬より犬ロボットのほうが良い.

take the dog for a walk	犬を散歩につれていく	heal	癒す
feed the dog	犬にえさをやる	feel	手触り
dog dirt	犬のふん	bushy	(毛が)ふさふさした
clean up	片付ける	tail	しっぽ
bark of a dog	犬の鳴き声	heat / warmth	温もり
cute	かわいい	pet	ペット
reset	リセット	companion	伴侶
switch	スイッチ	obedience	従順
reaction	反応	affection	愛情
therapy	セラピー	empathy	共感
dementia	認知症	take care of	世話する
interesting	面白い	hug	抱きしめる
action	動き	act flexibly	臨機応変に行動する
get sick	病気になる	programmed	プログラム化した
prescription charge	薬代	get tired of	飽きる
pass away	死ぬ	communicate	やりとりする
at some time	いつか	hard / stiff	固い
smell	匂う	break down	壊れる
any time	いつでも	repair	修理する
cool	かっこいい	cost	(お金が)かかる

■アニマルセラピーとロボットセラピー ※1

・アメリカではFDA（食品医薬品局）より医療機器として承認、多くの医療施設や介護福祉施設などに採用。
・自閉症の子どもたちや認知症の高齢者などのセラピーに効果を上げ、高い評価を得ている。

■泉佐野市「犬税」導入向けついに検討 路上に放置される飼い犬のふん対策費用。 1匹につき年間1,000円～2,000円か。※2

■ドイツ・ベルリンの犬税は2011年度時点で、犬1頭につき年間120ユーロ （2頭目以降は180ユーロ）。※3

<参考>
※1　産業技術総合研究所,第1回「アザラシ型ロボット・パロによるロボット・セラピー研究会」抄録集, 2012年9月29日
　　 http://intelligent-system.jp/paro-therapy1.pdf
※2　The Sankei Shimbun & Sankei Digita, 2014年2月28日, http://sankei.jp.msn.com/west/west_affairs/news/140228/waf14022819370026-n1.htm
※3 「ドイツにおける動物保護の変換と現状」, 中川亜紀子, 四天王寺大学紀要　第54号（2012年9月）
　　 http://www.shitennoji.ac.jp/ibu/toshokan/images/kiyo54-31.pdf

Lesson 3
Specialized education from early infancy makes children happier.
幼少期からの英才教育は子供を幸せにする.

academic skill	学力	communication skill	コミュニケーションスキル
enjoy	楽しむ	force（人）to do	人に〜させる
play	遊び	test/examination	テスト／試験
understand	理解する	entrance examination	入学試験
difficult / hard	難しい	effort	努力
educational background	学歴	unwillingly	嫌々
memorize	暗記する	take an examination	受験する
motivation	やる気	self-fulfillment	自己実現
choices	選択肢	voluntary	自発的な
classmate	同級生	compulsory	強制的な
pressure	プレッシャー	competition	競争
creative	創造力がある	enough	十分
practice / training / exercise	練習	not like 〜 anymore	〜を嫌いになる
music	音楽	busy	忙しい
art	芸術	unconstrained	のびのびした,拘束されない
rival	ライバル	free time	自由時間
gym class / physical education	体育	a domestic help / house servant	家事手伝い
concentrate	集中する	skip a year / skipp a grade	飛び級する
sense	センス	expectation	期待
dance	ダンス	stress	ストレス

■激流中国 5年1組 小皇帝の涙 ※1

・中国・雲南省の公立小学校では、1年生から英語を学び、数学は世界で一番難しいといわれるほどの学習レベル。

■IQ140以上の学生追跡調査（Terman,L.M.1877〜1938,スタンフォード大学） ※2

・IQ140以上の学生1000人を何十年に渡って調査した結果、経済的にも安定し家庭にも恵まれた生活を送っていた。

<参考>
※1 NHKスペシャル, http://www.nhk.or.jp/special/detail/2008/0106/
※2 東北学院大学教養学部総合研究論文,須森りか,「早期教育が幼児の発達に与える影響と今後の在り方」
　　http://www2.gsis.kumamoto-u.ac.jp/study/soturon/98h/sumo.pdf

Lesson 4
Privatization is better than nationalization in water business.
水道事業は，国営化よりも民営化する方がよい.

English	Japanese	English	Japanese
water business	水道事業	role of the government	政府の役割
privatization	民営化	public goods	公共財
nationalization	国営化	stable	安定な
efficiency	効率	any time / always	いつでも
waste	無駄	profit seeker	利潤追求者
supply	供給する	responsibility	責任
water rate	水道料金	safety	安全
reasonable	合理的な	necessity	不可欠
raise a price	値上げする	equal	平等な
reduce a price	値下げする	availability	入手可能性
to compete with	競争する	ensure	保証する
sewer water / sewage	下水	civil service / public servant	公務員
consumer	消費者	emergency	緊急
quality	品質	water supply works	水道工事
essential / necessities	日活必需品	boycott	ボイコット
CSR (Corporate Social Responsibility)	企業の社会的責任	tax / duty	税金
new technology	新技術	supervise	監督する
aging / deteriorated	老朽化した	demand	需要
quick / fast	迅速な	blackout	停電
service	サービス	nation	国民

■水道民営化の国際情勢　※1

・パリでは2009年までの25年間、民営化。2010年から再公営化された。　　・民営化率、イギリス約90%、フランス約80%、日本は数%。
・一部の発展途上国での失敗例(ボリビアのコチャバンバ水紛争等)。

■日本の水道事業

・需要水量は減少　(日本の将来推計、人口ピーク2010年1億2806万人、50年後は2010年の68%まで減少)。　※2
・(日本の水道サービスに従事する)技術職は42.5%、事務職の39.1%が50歳以上。　※2
・日本の上水道の7割は1960年代に整備された。水道設備の耐用年数はおよそ40年。　※3

<参考>
※1　三菱商事，http://www.mitsubishicorp.com/jp/ja/mclibrary/evolving/vol02/
※2　厚生労働省，水道サービスの持続性の確保(水道の運営基盤の強化)参考資料1，
　　　http://www.mhlw.go.jp/stf/shingi/2r9852000002lb0n-att/2r9852000002lb6c.pdf
※3　日本経済新聞2009年11月26日付朝刊13面

Lesson 5
We should penalize the sports teams for the behavior of their fans.
ファンの言動に対して，スポーツチームを罰する.

penalize	罰する	responsibility	責任
fan	ファン	unrelated	関係のない
spectator	観客	hooligan	フーリガン
rule	ルール	violence	暴行
criticize	批判する	measures	対策
interference	妨害	part	一部
be annoyed with	迷惑している	game	試合
discrimination	差別	ticket	チケット
confusion	混乱	practice / training	練習
enthusiasm	熱狂	player	選手
make remarks	発言する/演説	manager	監督
offensive	攻撃的な	prevent	防ぐ
control / regulate	規制する	a game played behind closed	無観客試合
suspension	出場停止	motivation	モチベーション・刺激・やる気
take care	気をつける	live	生で
collective esponsibility / joint responsibility	連帯責任	not work	効果がない
public	公共の	supporter	サポーター
safe	安全な	economic loss	経済損失
racial discrimination	人種差別	refund	払い戻し
fine	罰金	be discouraged / be disappointed	がっかりする

■「JAPANESE ONLY」横断幕で浦和にホームゲーム1試合を　無観客試合処分　差別的と史上初の厳罰　※1

・Jリーグでの無観客試合は初めて。　・2010年にも浦和がサポーターの差別的発言で制裁金を課される

■サッカー＝アタランタに罰金処分、ファンがバナナ投げる　※2

・アタランタのホームで行われたACミラン戦で、スタンドからピッチにバナナが投げ込まれた行為についてアタランタに
4万ユーロ（約560万円）の罰金処分（1年の執行猶予付き）

■フーリガンの入国拒否　※3

・2002年FIFAワールドカップ（日本と韓国で共同開催、2002年5月31日から6月30日）の際、
同年5月26日から決勝戦終了までに65名のフーリガンの入国を拒否した。

<参考>
※1　The Sankei Shimbun & Sankei Digital, 2014年3月13日, http://sankei.jp.msn.com/sports/news/140313/scr14031314390011-n1.htm
※2　ロイター、2014年 05月 13日, http://jp.reuters.com/article/sportsNews/idJPKBN0DT04620140513
※3　法務省「平成14年における外国人の上陸拒否について」, http://www.moj.go.jp/nyuukokukanri/kouhou/press_030613-1_030613-1.html

Lesson 6

Government should not fund the arts.
政府は芸術に投資すべきではない.

fund	資金を供給する	to enrich	豊かにする
tax / duty	税金	impress	感銘を与える
art museum / art gallery	美術館	history	歴史
useful	役立つ	preserve	保存する
invest	～に使う・投資する	precious / important	大切な
artist	芸術家	support	支援する
natural selection	自然淘汰	culture	文化
competition	競争	disappear	消える
unfair	不公平	cherish	大事にする
standard	基準	future	未来
admission charge / admission fee	入場料	respect	尊敬する
benefit principle	受益者負担	caricature	風刺画
decide	決める	enjoy	楽しむ
homeless	ホームレス	design	デザイン
subsidy	補助金	give back	還元する
diversity / variety	多様性	noble	高尚な
classical music	音楽	donation / contribution	寄付
operating cost	運営費	traditional arts	伝統芸能
saving	節約	public goods	公共財
unproductive	非生産的	expression	表現

■文化・芸術振興、劇場法の施行

　・「劇場、音楽堂等の活性化に関する法案」(2012年6月施行) ※1　　・劇場に携わる人材の強化 ※1
　・文化庁予算は、平成26年度予算で1,035億円。「文化芸術立国中期プラン」では、2020年までに予算を倍増させるとしている。※2

■大阪フィルハーモニー「補助金見直し」※3

　・市の補助金は楽団の年間予算の1割を超える1億1000万円。　　・人件費削減や会員企業への会費増額要請

■米国連邦政府、州政府及び地方自治体は、芸術を支援するために毎年40億ドル以下支出し、毎年300億ドル近くを創出 ※4

<参考>
※1　日本経済新聞2012年6月12日
※2　朝日新聞デジタル　2013年5月18日　芸術鑑賞に数値目標　文化芸術立国中期プラン
　　http://www.asahi.com/culture/update/0518/TKY201305180073.html
※3　毎日新聞2011年12月9日
※4　経済のプリズム No99 2012.4　経済のプリズム No99 2012.49芸術分野への助成の経済効果, 調査情報担当室　筒井　隆志
　　～総合的な地域活性化戦略の必要性～http://www.sangiin.go.jp/japanese/annai/chousa/keizai_prism/backnumber/h24pdf/20129902.pdf

Lesson 7
Fair Trade is unfair.
フェアトレードは不公平である.

tax	税金	rich	金持ち
labor force	労働力	poor	貧乏
developing country	発展途上国	chance	(偶然の)機会
developed country	先進国	opportunity	(適切な)機会
import	輸入	first step	第一歩
export	輸出	earn	稼ぐ
compulsory	強制的な	education	教育
worker	従業員	skill	技術、スキル
owner	雇用者	productivity	生産性
force (人) to ～	人に～させる	consider	配慮する
cheap	安い	contribute	貢献する
expensive	高い	quality	質
motivation	動機、モチベーション	quantity	量
produce	生産する	responsibility	責任
environment	環境	support	支援
child labor	児童労働力	donate	寄付
polution	汚染	academic ability	学力
consumer	消費者	improve	改善する
choice	選択	learn	学ぶ
competition	競争	poverty	貧困

■フェアトレードとは？　※1

・フェアトレードとは、生産者が人間らしく暮らし、より良い暮らしを目指すため、正当な値段で作られたものを売り買いすること。
・コンセプトは、フェアな取引をして、お互いを支え合おう

[フェアトレードの基準]
・労働者に適正な賃金の支払い　・労働環境の改善　・自然環境への配慮　・地域の社会・福祉への貢献　・子どもの権利の保護　・児童労働の撤廃

■実際のところ　※2

・国際市場で5ドル/キロを上回るコーヒー豆でも、フェアトレードに参加する農家の受け取りは、1.38ドル/キロ。（「公正な価格」：2.81ドル/キロ）
・現地の有力者が、農家の協同組合から人件費や管理費など受け取る。
・外資系ファーストフード店は、フェアトレードに参加してコーヒーの売上げは25%増えた。

<参考>
※1　NGO ACE , http://acejapan.org/childlabour/report/fairtrade/, 参照日/2014年5月1日
※2　ダイヤモンド・オンライン、「"フェアトレード"の不公正な取引が貧しい国の農家をより貧しくしていく」、2014年1月23日発行,
　　　http://diamond.jp/articles/-/47606?page=2

Lesson 8

We should introduce eco-tax.
環境税を導入する.

plastic bag	ビニール袋	economy	経済
CO₂	二酸化炭素	vicious circle	悪循環
eco-friendly	環境にやさしい	save	節約する
emission gas	排気ガス	commodity price	物価
health	健康	damage	損害
consumer	消費者	illegal	非合法の
factory	工場	not so important	あまり重要でない
product	製品	ineffective	効果のない
technology	技術	criticism	批判
moral	道徳的な	productivity	生産性
manner	マナー	ignore	無視する
development	開発	non-emergency	急を要しない
incentive	動機	alternative	代替案
pollution	汚染	import	輸入
limited	限られた	export	輸出
make an effort	努力する	global warming	地球温暖化
image	印象	renewable energy	再生可能エネルギー
education	教育	gasoline	ガソリン
taxes for specific purposes	目的税	fossil fuel	化石燃料
implement	実施する	factory	工場

■環境税として「地球温暖化対策のための税（地球温暖化対策税）」が導入（2012年10月1日）　※1

・日本では、2050年までに80％の温室効果ガスの排出削減を目指す。

■日本の環境税

・環境税の税収を温暖化対策に充てることで2020年には2009年比で1％のCO2排出量の削減が見込み。※2
・低所得者層の年間収入に占める光熱費の割合は、高所得者層の3倍以上。※2
・再生可能エネルギーの使用は、1家庭あたり2020年で820円/月負担。　※3

■デンマークでは省エネに対する補助金の活用により、家庭で暖房用のエネルギー消費量が75年から91年の間に20％削減。　※2

<参考>
※1　環境省WEBサイト　参照日/2014年5月1日
※2　みずほ総合研究所㈱みずほ政策インサイト　2011年3月31日発行
　　「エネルギー消費節約に向けた環境税のあり方～欧州の事例から考える戦略的な制度設計とは～」
　　　http://www.mizuho-ri.co.jp/publication/research/pdf/policy-insight/MSI110331.pdf
※3　研究レポート No.405,April,2013, 日本における再生可能エネルギーの可能性と課題－エネルギー技術モデル(JMRT)を用いた定量的評価－
　　富士通総研　経済研究所, http://jp.fujitsu.com/group/fri/downloads/report/research/2013/no405.pdf

Lesson 9

Space exploration is a waste of money.
宇宙探査はお金の無駄である.

research	研究	discovery	発見
new idea	新しいアイデア	application	応用
not very often	めったにない	treatment	治療
researcher	研究者	experiment	実験
scientist	科学者	worthwhile	価値がある
waste	無駄	GPS (Global Positioning System)	衛星利用測位システム
military	軍事	chance	（偶然の）機会
cost	費用	possibility	可能性
unkown	分からない	Spacesuit	宇宙服
accident	事故	madicine	薬
space debris	宇宙ごみ	longing	憧れ
astronaut	宇宙飛行士	humankind	人類
war	戦争	space station	宇宙ステーション
danger	危険	zero gravity	無重力
space shuttle	スペースシャトル	predict	予測する
launch	打ち上げ	climate change	気候変動
poverty	貧困	research outcome	研究成果
tax money	税金	break through	突破口
direct way	直接的方法	special	特別な
invest	投資する	progress	進歩

■国際宇宙ステーションを建設するために、先進諸国は累計で10兆円投資。 ※1

■日本の2012年度宇宙関係予算は、前年度予算比約90億円減（約2.6％）減の総額約3,390億円（米国の約13分の1、欧州の半分以下）。※2

■インド「宇宙開発と貧困問題の対立」 ※3

・インドは、ロケットなどの宇宙開発に力を入れている（2012年度770億円規模 ※4）。
　国内総人口の3割が貧困層（1日に約1.25ドル以下で生活する層）。4割以上の子供が栄養不良で、全世帯の半分がトイレもない。

■世界の貧困（1日1.25米ドル未満で生活する人）12億人以上（2010年）。※4

<参考>
※1 東洋経済オンライン, http://toyokeizai.net/articles/-/13923, 2013年5月10日,参照日/2014年5月16日
※2 内閣官房宇宙開発戦略本部事務局「我が国の宇宙開発利用の現状」, 平成22年2月23日
　　http://www.kantei.go.jp/jp/singi/utyuu/seisaku_kaigi/dai1/siryou1_3.pdf
※3 ユーラシア情報ネットワーク, [特別投稿]竹内幸史氏／東京財団アソシエイト
　　http://www.tkfd.or.jp/eurasia/india/report.php?id=411
※4 THE WORLD BANK, http://www.worldbank.org/ja/news/feature/2014/01/08/open-data-poverty, 参照日/2014年5月16日

Lesson 10
Doctors should be obliged to inform patients about their cancers.
医者は患者にガン告知することを義務づけられるべきである.

rest of life	残りの人生	psychological damage	精神的ダメージ
decision	決定	possibility	可能性
will	意思	painful	痛い
what we want to do	したいこと	feel sadness	悲しむ
regret	後悔	can't recovery	立ち直れない
responsibility	責任	get worse	悪化する
courge	勇気	shock	ショック
face	（現実をしっかりと）受けとめる	negative	後ろ向きの
role of doctor	医者の役割	pessimism	悲観的な見方
passitive	前向きな	anticancer	抗がん剤
optimism	楽観的	white lie	罪のない（優しい）嘘
right-to-know	知る権利	ignorance	知らない
patient	患者	treatment	治療
nurse	看護士	recover	回復する
limited time	限られた時間	wish	望み
give up	あきらめる	spend time	時間を過ごす
life prodonging	延命の	peaceful	穏やか
life expectancy	寿命	metastasize	転移する
final moment	最期	endure	耐える
overcome	乗り越える	come to light	ばれる

■日本で1983年医者が患者に「がんを告知」したケースは、全体の0.619％。 アメリカでは、1979年「がんを告知」している 97％。※1

■「患者の精神状況の変化」の調査（1988年-1990年） ※1

「目の前が真っ暗になった」が15％、「或る程度予期していた」が24％、「ショックだったが、すぐに受け止める事が出来た」が51％。

■自殺・安楽死、尊厳死 ※1

・1983年、がん告知によりショックで死を早めたとして医師が不法行為の責任を問われた「がん告知訴訟」。
・1991年、医師の手に依る初の「安楽死」事件が発生 （末期がんで入院、こん睡状態でけいれんを起こす姿を見かねた家族の要望）。
・1992年ころから国外では徐々にではあるが、本人の意思による申し出を前提に、末期患者の死を助ける事を容認する国や州がある。

<参考>
※1 長崎大学教養部紀要 正木 晴彦「がん告知を巡る過去20年間の推移とその問題点」
  http://naosite.lb.nagasaki-u.ac.jp/dspace/bitstream/10069/15366/1/kyoyoJ37_01_06_t.pdf

あとがき

パーラメンタリーディベートに出会ってから長い年月が経ちました。

まえがきに書きました通り、パーラメンタリーディベートは様々な効果を持ち、大変魅力的な活動であると実感しています。

これまでディベータやジャッジ、大会運営、指導を経験し、是非ともこの魅力的な活動を社会・教育現場で導入できる手法を開発したいと常日頃思ってまいりました。社会人、大学生、高校生、中学生、教員向けのセミナーをさせていただく機会があった中、授業での導入にはどのような工夫が必要であるのかが少しずつ分かってきました。それらの知見をもとに、本書の構想ができました。大学などのクラブ活動のように時間の自由度が大きいスタイルではなく、授業という限られた時間内で、教員、生徒の皆さんが効果的に取り組める簡潔な方法を模索する必要があります。より効果的な提案手法とするため、実践の機会を多く持ち、たくさんの方々からいただいたご意見を反映させた結果、ようやく本書の形となりました。しかしながら、至らない点もまだまだあるかと思います。お気づきの点がございましたら、是非ご指摘いただけましたら幸いです。

最後に、本書執筆にあたり、多くの方々のご協力をいただきましたことに、深くお礼申し上げます。一般社団法人 日本英語交流連盟の岡田真樹子先生には、英文校正を中心に多くのサポートをいただきました。福岡県立城南高等学校 吉村隆文先生、石橋由利江先生、亀井里香先生には、複数年に渡り、授業導入を踏まえた有意義なご意見をいただきました。また、提案手法の即興型英語ディベートを通常の授業へ実践導入するご協力をいただきました大阪教育大学附属高等学校平野校舎 堀川理介副校長、國里晴子先生には、大変貴重な機会を与えていただきました。熊本県立八代高校 山本朝昭校長、熊本県立済々黌高等学校鶴濱正悟先生には、定期的なディベート講座の機会をいただき、高校生の成長を見させていただけました。

以上の方々および多くの高校教員の皆様、大学関係の皆様、その他英語ディベート界でお世話になった皆様に、心より感謝いたします。

著者

<ruby>中川<rt>なかがわ</rt></ruby>　<ruby>智皓<rt>ちひろ</rt></ruby>

2010年　東京大学大学院 工学系研究科 産業機械工学専攻　博士課程修了、博士（工学）
2010年〜現在　大阪府立大学 大学院工学研究科 機械系専攻 機械工学分野　助教
専門は、機械力学・制御。

ディベート活動略歴

　2001年より準備型の英語ディベート（NDTスタイル）を始め、2003年より即興型の英語ディベート（パーラメンタリーディベート）の活動を行う。2005年、東京大学英語ディベート部を設立し、アイルランドにおいて開催された大学生英語ディベート世界大会ESL準決勝進出（日本最高記録）を果たし、東京大学総長賞を受賞（2006年）した。国内外でのジャッジ、大会運営を多数経験し、2008年に日本初の国際大会の誘致（北東アジア大会）を行い、審査委員長を務めた。

　即興型の英語ディベート指導では、国内外の中学、高校、大学を始め、教員や一般社会人に向けた講演、研修会を行っている。東京大学英語ディベート部社会人練習会立ち上げ・主催（2005〜2010年）、一般社団法人 日本英語交流連盟ディベート委員、堺市・大阪府立大学産学官連携人材等育成事業「即興型英語ディベートによる英語コミュニケーションスキルの育成事業」代表、文部科学省助成事業　高等学校における「多様な学習成果の評価手法に関する調査研究」研究代表者、
現在、一般社団法人パーラメンタリーディベート人財育成協会（PDA）代表理事を務める。

講演・研修等

高校教員研修（長野県、栃木県、山梨県、埼玉県、神奈川県、千葉県、三重県、京都府、大阪府、兵庫県、和歌山県、広島県、山口県、福岡県、熊本県、沖縄県他）、梨花女子高校（韓国）他、上智大学、青山学院大学他、社会人向け研修会（東京大学英語ディベート部、大阪府立大学他）、企業（日産自動車、大成建設、大阪ガス他）

テキスト

◆ 中川智皓、パーラメンタリーディベート練習帳（基本編）、2008年
◆ 中川智皓、パーラメンタリーディベート練習帳（標準編）、2013年

授業でできる即興型英語ディベート　　　　　　2021年4月　改訂第1版第4刷

発　　　　行	一般社団法人　パーラメンタリーディベート人財育成協会（PDA）
著　　　　者	中川智皓
編 集 協 力	青木健生
イラスト制作	葛岡容子
図 表 制 作	幸田廣信
組　　　　版	株式会社 ユニックス
印　　　　刷	株式会社 エデュプレス
出 版 協 力	株式会社 シェーンコーポレーション　ネリーズ事業部